coleção fábula

AVENTURAS DE ALICE NO PAÍS DAS MARAVILHAS.

AVENTURAS DE
ALICE
NO PAÍS DAS MARAVILHAS.

LEWIS CARROLL.

COM QUARENTA E DUAS ILUSTRAÇÕES DE

JOHN TENNIEL.

TRADUÇÃO E ENSAIO

SEBASTIÃO UCHOA LEITE.

COLEÇÃO FÁBULA
EDITORA 34
SÃO PAULO — 2015.

No verão, na tarde de ouro,
    Deslizamos vagarosamente.
Nossos remos são manejados
    Sem perícia, no sol ardente:
Mãos gentis, que fingindo vão
    Guiar nosso passeio errante.

Ah, cruel trio, que em tal hora,
    Sob o céu de esplendor e sonho,
Implora um conto sem vigor
    E de pobre alento, enfadonho.
Mas que pode tão fraca voz
    Contra o coro infantil, risonho?

Prima decreta, imperiosa:
    "Agora, por que não começa?..."
Em tom brando, Secunda roga:
    "Que seja sem pé nem cabeça!"
E Tertia, uma vez por minuto
    Fala somente, não se apressa.

Logo mais se calam, de súbito,
    E vão seguindo em fantasia
A viagem-sonho da heroína
    No país de assombro e magia
Em alegre charla com os bichos.
    E creem um pouco na utopia.

Quando a estória já se esgota
    ——Seco o poço da imaginação——
Tenta habilmente o contador
    Desviar-se do assunto, em vão:
"Conto depois..." "*Já é* depois!",
    Elas protestam em confusão.

E assim cresceu este País
Das Maravilhas. Uma a uma
Surgiram as suas aventuras.
Está pronta, sem falha alguma
A estória. Voltamos lépidos
Antes que o sol da tarde suma.

Alice! Recebe essa estória
E com mãos gentis deposita
Lá longe, onde os sonhos da infância
Se confundem com lembranças idas,
Tal guirlanda de flores murchas
Em distante terra colhidas.

SUMÁRIO.

AVENTURAS DE ALICE NO PAÍS DAS MARAVILHAS.

CAPÍTULO I.

ENTRANDO NA TOCA DO COELHO.

ALICE começava a enfadar-se de estar sentada no barranco junto à irmã e não ter nada que fazer: uma ou duas vezes espiara furtivamente o livro que ela estava lendo, mas não tinha figuras nem diálogos, "e de que serve um livro", pensou Alice, "sem figuras nem diálogos?"

Assim meditava, ponderando (tanto quanto podia, pois o calor a deixava sonolenta e entorpecida) se o prazer de tecer uma grinalda de margaridas valeria o esforço de levantar-se e colher as flores, quando de súbito um Coelho Branco de olhos róseos passou perto dela.

Não havia nada de *tão* notável nisso; nem Alice achou *tão* extraordinário ouvir o Coelho murmurar para si mesmo: "Ai, meu Deus! Ai, meu Deus! Vou chegar muito atrasado!" Quando pensou nisso bem mais tarde, ocorreu-lhe que devia ter se espantado; na hora pareceu-lhe muito natural. Mas quando o Coelho *tirou um relógio do bolso do colete* e deu uma espiada, apressando-se em seguida, Alice levantou-se sem demora, pois assaltou-a a ideia de que jamais vira na sua vida um coelho de colete e bolso, e muito menos com relógio dentro. Ardendo de curiosidade, correu atrás do Coelho campo afora, chegando justamente a tempo de vê-lo enfiar-se numa grande toca sob a cerca.

Logo depois Alice entrou atrás dele, sem pensar sequer em como sairia dali outra vez.

A toca do Coelho se alongava em linha reta como um túnel, e de repente abria-se numa fossa, tão de repente que Alice não teve nem um segundo para pensar em parar, antes de ver-se caindo no que parecia ser um poço muito profundo.

Ou o poço era profundo demais, ou ela caía muito devagar, pois tinha tempo de sobra para olhar em torno de si durante a queda e perguntar-se o que aconteceria em seguida. Tentou primeiro olhar para baixo, a fim de ver onde estava chegando, mas a escuridão era demais para se ver qualquer coisa. Olhou então para as paredes do poço e observou que estavam cheias de armários e estantes: aqui e ali viu também mapas e quadros pendurados. Enquanto passava tirou um pote de uma das prateleiras: estava rotulado GELEIA DE LARANJA mas, para sua grande decepção, estava vazio. Não quis jogar fora o pote, temendo atingir alguém mortalmente lá embaixo, e assim deu um jeito de colocá-lo em um dos armários por onde passava.

"Muito bem!", pensou Alice. "Depois de uma queda dessas não vou achar nada demais cair da escada! Lá em casa vão achar que fiquei muito corajosa! Ora, não vou contar nada, mesmo se cair de cima do telhado!" (O que era bem provável de acontecer.)

Caindo, caindo, caindo. Essa queda *nunca* teria fim? "Só queria saber quantos quilômetros já desci esse tempo todo!", disse em voz alta. "Devo estar chegando perto do centro da terra. Deixe ver: deve ter sido mais de seis mil quilômetros, por aí..." (como se vê, Alice tinha aprendido uma porção de coisas desse tipo na escola, e embora essa não fosse uma oportunidade lá *muito* boa de demonstrar conhecimentos, já que não havia ninguém por perto para escutá-la, em todo caso era bom praticar um pouco) "...sim, deve ser mais ou menos essa a distância... mas então, qual seria a Latitude ou Longitude em que estou?" (Alice não tinha a menor ideia do que fosse Latitude ou Longitude, mas achou que eram palavras muito imponentes.)

Logo depois recomeçou a falar. "Só queria saber se vou passar *direto* através da terra! Seria engraçado sair bem no meio da gente que anda de cabeça pra baixo! Os Antipáticos, eu acho..." (Dessa vez gostou de que não tivesse ninguém escutando, pois aquela não soava como a palavra certa.) "...mas vou ter de perguntar a eles qual é o nome do país, é claro... Por favor, minha senhora, isso aqui é a Nova Zelândia? Ou a Austrália?" (E tentou fazer uma mesura enquanto falava... mas imaginem fazer uma *mesura* enquanto se está caindo! Vocês acham que podem?) "E que menininha ignorante ela vai achar que eu sou! Não, é melhor não perguntar nada: talvez eu veja o nome escrito em algum lugar."

Caindo, caindo, caindo. Não havia mais nada que fazer, e portanto Alice começou a falar outra vez. "Dinah vai sentir muito a minha falta esta noite, eu acho." (Dinah era sua gata.) "Espero que se lembrem do seu pires de leite na hora do jantar. Dinah, minha querida! Só queria que você estivesse aqui comigo! Não tem nenhum rato no ar, infelizmente, mas bem que você podia pegar um morcego, é igualzinho a um rato, sabe? Mas, gatos comem morcegos?" E aqui Alice começou a ficar meio sonolenta, continuando a dizer para si mesma, numa espécie de devaneio: "Gatos comem morcegos? Gatos comem morcegos?" e, às vezes, "Morcegos comem gatos?", pois, como não sabia responder à pergunta, pouco importava a maneira como fosse colocada. Sentiu que estava adormecendo e tinha começado a sonhar que passeava de mãos dadas com Dinah e lhe perguntava muito séria: "E agora, Dinah, fale a verdade: você já comeu algum morcego?", quando subitamente plaft! plaft!, caiu em cima de uma pilha de gravetos e folhas secas. A queda tinha acabado.

Alice não estava nem um pouco ferida, por isso levantou-se no mesmo instante, com um salto. Olhou para cima, mas estava tudo escuro. Diante dela estendia-se outro longo corredor, e o Coelho Branco ainda estava à vista, andando apressado. Não havia nem um momento a perder: lá se foi Alice atrás, veloz como o vento, a tempo de ouvi-lo exclamar, enquanto dobrava uma esquina: "Ai, minhas orelhas e meus bigodes, como está ficando tarde!" Ela estava bem atrás dele, ao dobrar a esquina, mas o Coelho sumira. Achou-se numa sala comprida e baixa, iluminada por uma fileira de lâmpadas que pendiam do teto.

Havia portas em volta da sala, mas estavam todas fechadas. Alice percorreu um dos lados da sala e depois voltou pelo outro, tentando abrir todas as portas. Tristemente, encaminhou-se para o centro, perguntando-se como sairia dali.

De repente, deu com uma pequena mesa de três pés, toda de vidro: não havia nada em cima, exceto uma chavezinha dourada, e a primeira ideia de Alice foi que a chave devia servir para uma das portas da sala. Mas, que azar, ou as fechaduras eram grandes demais ou a chave era muito pequena: de qualquer forma, não abria nenhuma das portas. Num segundo giro pela sala, todavia, descobriu uma cortina baixa que não tinha notado antes e, por trás, uma pequena porta de cerca de quarenta centímetros: experimentou a chavezinha dourada na fechadura e, para seu grande prazer, deu certo.

Alice abriu a porta e viu que dava para uma pequena passagem, não muito maior do que um buraco de rato. Ajoelhou-se e avistou, do outro lado da passagem, o mais belo jardim que já vira. Como adoraria sair daquela sala escura e passear entre os canteiros de flores resplandecentes e as fontes de água fresca! Mas nem sequer sua cabeça entrava naquela passagem "e mesmo que a minha cabeça *pudesse* passar", pensou a pobre Alice, "isso pouco serviria sem os meus ombros. Ah, como eu gostaria de poder me encolher como um telescópio! Acho que poderia, se soubesse como começar." Tantas coisas extravagantes tinham acontecido até então que Alice começava a pensar que quase nada seria realmente impossível.

Parecia inútil ficar esperando ali diante da pequena porta. Por isso voltou para a mesinha, meio esperançosa de encontrar outra

chave ou ao menos um livro de normas para as pessoas encolherem como telescópios. Dessa vez achou uma garrafinha ("que com certeza não estava aqui antes", pensou Alice). Em volta do gargalo estava amarrada uma papeleta à guisa de rótulo, com a inscrição "BEBA-ME", brilhantemente impressa em letras grandes.

Era muito fácil dizer "Beba-me", mas a esperta e pequena Alice não ia fazer isso assim *tão* apressada. "Não, vou olhar primeiro", disse ela, "e ver se não está marcado *veneno*". Pois já lera várias estorinhas sobre crianças que tinham se queimado ou tinham sido devoradas por feras selvagens e outras coisas desagradáveis; tudo isso porque nunca se lembravam das regrinhas tão simples que os seus amigos lhes tinham ensinado, tais como: um atiçador aquecido termina queimando a mão quando segurado por muito tempo; quando se corta o dedo *muito* fundo com uma faca, geralmente sangra; e, coisa que ela nunca tinha esquecido, quando se bebe demais de uma garrafa marcada *veneno*, é quase certo que vai fazer mal, cedo ou tarde.

Contudo, aquela garrafa *não* estava marcada *veneno*, e assim Alice arriscou-se a prová-la. Achou o gosto muito bom (de fato, o sabor era uma mistura de torta de cereja, creme de leite, suco de abacaxi, peru assado, doce puxa-puxa e torradas quentes com manteiga) e bebeu até o finzinho.

——Que sensação mais curiosa!——exclamou Alice.——Devo estar encolhendo como um telescópio!

E de fato estava: tinha agora só uns vinte e cinco centímetros de altura. Seu rosto brilhava ao pensar que agora tinha o tamanho exato para passar pela pequena porta que levava àquele lindo jardim. Mas esperou primeiro alguns minutos para ver se ia continuar encolhendo. Ficou um pouco nervosa com isso. "Posso terminar sumindo completamente como uma vela. E como é que eu seria depois disso?" Tentou imaginar com o que pareceria a chama de uma vela depois de apagada, mas não podia se lembrar de ter visto isso alguma vez.

Depois de esperar um pouco, vendo que nada mais acontecia, resolveu ir para o jardim de uma vez por todas. Mas, que azar da pobre Alice! Quando chegou à porta, viu que tinha esquecido a chavezinha dourada e, ao voltar à mesa para pegá-la, constatou ser impossível atingi-la. Podia vê-la perfeitamente através do vidro e fez o que pôde para subir por uma das pernas da mesa, mas era muito escorregadia. E quando ficou cansada, depois de várias tentativas, a coitadinha sentou-se e chorou.

"Que é isso, não adianta chorar desse jeito!", disse ela consigo, severamente. "É bom parar com isso agorinha!" Geralmente dava bons conselhos a si mesma (embora raramente os seguisse), e às vezes se repreendia com tal aspereza que as lágrimas lhe vinham aos olhos; certa vez lembrou-se de dar um puxão nas próprias orelhas, por ter trapaceado num jogo de croqué que jogava consigo mesma, pois essa curiosa criança gostava muito de fingir que era duas pessoas. "Mas de nada adianta agora", pensou a pobre Alice, "fingir que sou duas pessoas! Ora, restou muito pouco de mim mesma até pra ser *uma* pessoa só que se respeite!"

Mas logo os seus olhos deram com uma caixinha de vidro debaixo da mesa: abriu-a e achou dentro um pequeno bolo, no qual estava lindamente marcada com passas a inscrição: COMA-ME. "Bom, vou comê-lo", disse Alice, "e se ficar maior, posso pegar a chave; se ficar menor, passo por baixo da porta. Assim, de qualquer maneira entro no jardim, e pouco me importa o que acontecer!"

Comeu um pedacinho e disse a si mesma, com ansiedade: "E agora? E agora?", colocando a mão em cima da cabeça, a fim de sentir se estava crescendo ou diminuindo. E ficou bastante surpresa de ver que continuava do mesmo tamanho. Isso é o que geralmente acontece quando se come bolo, é claro; mas Alice estava tão acostumada a só esperar coisas extraordinárias que agora parecia maçante e enfadonho as coisas acontecerem de modo comum.

Portanto, pôs mãos à obra e devorou o bolo de uma vez.

* * * * * *

* * * * *

* * * * * *

CAPÍTULO II.

A LAGOA DE LÁGRIMAS.

——Muito estranhíssimo! Muito estranhíssimo!——gritou Alice (a surpresa era tanta que por um momento ela se esqueceu de falar direito).——Estou me esticando agora como o maior telescópio jamais visto! Adeus, pés!——pois os seus pés pareciam se perder de vista, de tão longe que estavam.——Oh, meus pobres pezinhos, e agora, quem é que vai calçar as meias e os sapatos pra vocês, meus filhinhos? Eu é que não posso! Estarei muito longe pra cuidar de vocês: arranjem-se como puderem... "Mas é melhor eu ser boa com eles", pensou, "senão é capaz de não me levarem aonde eu quiser! Deixe ver. Acho que vou dar a eles um par de botinas novas todo Natal."

Continuou fazendo projetos sobre o assunto. "Vou mandar pela mala postal", pensou, "e será engraçado mandar presentes para os próprios pés! E o endereço? Vai parecer meio esquisito!

Ilmo. Sr. Pé Direito de Alice
Tapete felpudo
perto da lareira
(Beijos de Alice).

Oh, meu Deus, quanto disparate estou dizendo!"

Nesse momento sua cabeça bateu contra o teto da sala: estava com mais de dois metros e meio de altura. Pegou depressa a chavezinha dourada e precipitou-se para a porta do jardim.

Coitada de Alice! Tudo que pôde fazer, estirada meio de lado, foi olhar para o jardim com um olho só. Mais do que nunca não havia a menor esperança de passar por ali. Sentou-se, pois, e começou a chorar de novo.

——Mas que vergonha!——exclamou.——Uma meninona tão grande——bem que podia dizer isso chorando desse jeito! Pare já com isso!——mesmo assim continuou a chorar, despejando galões de lágrimas, até formar uma lagoa em torno dela, com cerca de meio palmo de profundidade e atingindo a metade do corredor.

A certa altura ouviu um toque-toque miúdo de passos à distância e mais que depressa enxugou os olhos para ver o que vinha vindo. Era o Coelho Branco de volta, magnificamente trajado, com um par de luvas brancas de pelica numa mão e um grande leque na outra. Vinha muito apressado, apertando o passo e murmurando para si mesmo: "Ai, a Duquesa, a Duquesa! Vai ficar uma *fera* se eu a fizer esperar!" Alice se sentia tão desesperada que estava disposta

a pedir ajuda a qualquer um. Assim, quando o Coelho passou perto dela, muito timidamente, numa voz bem baixa, começou a dizer: "Por favor, meu senhor..." O Coelho estremeceu com violência, deixou cair as luvas brancas e o leque e escapuliu para o fundo escuro da sala o mais depressa que pôde.

Alice apanhou o leque e as luvas e, como a sala estava muito quente, começou a abanar-se enquanto falava: "Ai, meu Deus! Como está tudo esquisito hoje! E ontem estava tudo tão normal. Será que eu mudei durante a noite? Deixe ver: eu era a *mesma* quando me levantei hoje de manhã? Estou quase jurando que me sentia um pouquinho diferente. Mas, se não sou a mesma, então quem é que eu sou? Ah, *aí* é que está o problema!" E começou a pensar em todas as meninas que conhecia e eram mais ou menos de sua idade, para ver se tinha se transformado em alguma delas.

"Ada é que não sou, tenho certeza! Ela tem os cabelos encaracolados, e eu não. E Mabel não posso ser de jeito nenhum, pois sei uma porção de coisas e ela sabe tão pouco, é tão burrinha! Além disso *ela* é ela, e *eu* sou eu, e... oh, meu Deus, como tudo isso está complicado. Vamos ver se eu sei tudo que costumava saber. Vamos ver: quatro vezes cinco doze, quatro vezes seis treze, quatro vezes sete... oh, meu Deus, desse jeito não vou chegar nunca a vinte! Mas vamos deixar de lado a tabuada. Vamos ver a geografia: Londres é a capital de Paris, Paris é a capital de Roma, e Roma é... não, não, está *tudo* errado. Agora sim, tenho certeza de que me transformei em Mabel! Vamos ver de novo, vou tentar recitar 'A abelhinha atarefada'." Cruzou as mãos no colo, como se estivesse repetindo uma lição, e começou a recitar, mas sua voz soou roufenha e estranha, e as palavras não pareciam ser as mesmas:

O filhote do crocodilo
  Faz brilhar a sua cauda
Espalhando águas do Nilo.
  Vejam como ele se esbalda!

Que carantonha feliz
  E que patas reluzentes.
"Peixinhos, salve!", ele diz
  Com seus dentões sorridentes.

——Tenho certeza de que as palavras não são essas——disse a pobre Alice, e as lágrimas inundaram os seus olhos outra vez.——Devo ter me transformado mesmo em Mabel e vou ter de viver naquela casa tão pequena, sem brinquedos e, oh, meu Deus, com tanta coisa pra aprender! Não, já resolvi: se eu sou Mabel, então vou ficar aqui embaixo mesmo! Não adianta botarem a cabeça e pedirem: "Suba outra vez, querida!" Só vou levantar a cabeça e dizer: "Quem é que eu sou? Digam primeiro, e se eu gostar de ser a tal pessoa, então subo. Se não, fico aqui embaixo mesmo até que eu seja outra pessoa..." Mas, oh, meu Deus!——gritou, explodindo de repente em lágrimas.——Só queria que *eles* botassem a cabeça aqui embaixo! Estou *tão* cansada de ficar sozinha aqui!

Enquanto ia falando, olhou para as mãos e ficou surpreendida de ver que tinha colocado uma das pequenas luvas brancas do Coelho. "*Como* pôde acontecer isso?", pensou. "Devo estar diminuindo outra vez." Levantou-se, foi até a mesa para se medir e concluiu que, tanto quanto podia calcular, estava agora com cerca de sessenta centímetros de altura e que continuava a encolher rapidamente. Descobriu logo que a causa disso era o leque que estava segurando e jogou-o fora imediatamente, a tempo de evitar que encolhesse até sumir de vez.

——Escapei por um triz!——disse Alice, terrivelmente assustada com a súbita transformação, mas muito contente de ainda continuar existindo.——E agora, direto pro jardim!

E lá se foi veloz para a pequena porta, mas, que azar!, estava fechada outra vez, e a chavezinha dourada repousava, como antes, na mesa de vidro. "As coisas estão piores do que nunca", pensou a pobre-coitada, "pois nunca fui tão pequena assim antes, nunca! E juro que isso é pior do que tudo!"

Nem bem tinha acabado de dizer essas palavras, seu pé escorregou. Plash! Estava mergulhada até o queixo em água salgada. A primeira ideia que lhe ocorreu é que tinha caído no mar, "e nesse caso posso voltar de trem", disse a si mesma. (Alice só tinha ido à praia uma vez na vida e chegara à conclusão geral de que em qualquer ponto que se vá da costa inglesa sempre se encontram cabines de banho dentro d'água, crianças cavando na areia com pazinhas de madeira, uma fila de casas de cômodos e por trás disso tudo uma estação da estrada de ferro.) Mas logo compreendeu que estava dentro do lago de lágrimas que derramara quando tinha dois metros e meio de altura.

— Seria melhor que não tivesse chorado tanto! — disse ela, enquanto nadava, tentando sair dali. — Serei castigada agora por isso, parece, afogando-me nas minhas próprias lágrimas! Isso será uma coisa *bem* esquisita, com certeza. Mas tudo aqui é muito esquisito hoje.

Nesse exato momento ouviu algo chapinhando no lago um pouco mais adiante e nadou até perto para ver o que era: a princípio pensou que se tratasse de uma morsa ou de um hipopótamo, mas logo se lembrou de como era pequena agora e deu-se conta de que era apenas um rato que tinha escorregado dentro d'água como ela mesma.

"Será que adianta", pensou Alice, "falar com esse rato agora? Aqui é tudo tão fora dos eixos que eu acho bem capaz de ele saber falar: de qualquer modo, não custa nada tentar."

——Ó Rato——começou ela a dizer——, você sabe a saída para fora dessa lagoa? Estou cansada de nadar aqui, ó Rato!—— Alice pensava que esta devia ser a forma correta de dirigir-se a um rato: nunca tinha tido antes tal experiência, mas lembrava-se de ter visto na gramática latina do seu irmão: "Rato——de um rato——para um rato——um rato——Ó rato!"

O Rato olhou para ela de modo inquisitivo e pareceu até que piscava um dos seus olhinhos, mas não disse nada.

"Talvez ele não entenda inglês", pensou Alice. "Quem sabe se não é um rato francês, que veio junto com Guilherme, o Conquistador?" (Com todo o seu conhecimento de história, Alice não

tinha uma ideia muito clara de há quanto tempo as coisas tinham acontecido.) Tentou outra vez:

——*Où est ma chatte?*——que era a primeira sentença do seu livro de francês.

O Rato deu um salto para fora d'água e pareceu arrepiar-se todo de susto.

——Oh, me desculpe, por favor!——gritou Alice mais que depressa, temendo ter ferido a suscetibilidade do pobre animal.——Esqueci completamente que você não gosta de gatos.

——Não gosto de gatos!——gritou o Rato com uma voz exaltada e estridente. ——*Você* gostaria de gatos se fosse eu, gostaria?

——Bom, talvez não——respondeu Alice em tom suave——, mas não fique com raiva por causa disso. Mesmo assim, gostaria que conhecesse a nossa gata Dinah. Acho que você terminaria tendo uma simpatia pelos gatos, só de vê-la. Ela é tão quietinha, tão boazinha——dizia Alice meio falando para si mesma, enquanto nadava preguiçosamente no lago.——Ela fica tão bonitinha ronronando perto da lareira, lambendo as patas e lavando a cara... e é tão macia de se acariciar... e é tão necessária dentro de casa pra pegar os ratos... oh, perdão, perdão!——gritou Alice. Desta vez o Rato ficou todo eriçado e ela teve certeza de que estava realmente ofendido.——Não falaremos mais dela, se é o que você quer.

——Nós? Não me diga!——gritou o Rato, tremendo até a ponta do rabo.——Como se jamais na vida eu falasse de tal assunto! Nossa família sempre *odiou* gatos: criaturas vulgares, baixas, nojentas! Não me faça mais ouvir esse nome!

——Não, prometo que não!——disse Alice, apressando-se em mudar o assunto da conversa. ——E... você gosta de... de cachorros?

O Rato não deu resposta, e por isso Alice continuou, com vivacidade:

——Tem um cachorrinho tão bonito lá perto de casa, só queria que você visse! É um pequeno *terrier* de olhos tão vivos, sabe? Com um pelo marrom bem crespo! Ele vai buscar as coisas que atiramos bem longe... e se senta direitinho e pede seu jantar... e uma porção de coisas mais... não me lembro nem da metade. É de um fazendeiro, sabe? E ele diz que o cachorrinho é muito útil, que vale mais de cem libras. E diz que ele mata os ratos na fazenda e... oh, meu Deus!——gritou Alice consternada.——Acho que o ofendi outra vez!——pois o Rato estava nadando para longe dela o mais depressa que podia e fazendo o maior estardalhaço enquanto se afastava.

Chamou com voz bem suave:

——Volte, querido Rato, volte! Não falaremos mais nem de gatos nem de cachorros, já que você não gosta!

Ao ouvir isso, o Rato fez meia-volta e começou a nadar vagarosamente na direção dela: seu rosto estava completamente lívido (de raiva, pensou Alice) e ele murmurou, em voz baixa e trêmula:

——Vamos para a praia. Eu lhe contarei minha história, e você compreenderá por que odeio gatos e cães.

Já era tempo de sair, pois a lagoa estava ficando cheia de aves e outros animais que tinham caído dentro dela: havia um Pato e um Dodô, um Papagaio e um Aguioto e várias outras criaturas curiosas. Alice tomou a frente e o grupo todo a seguiu, nadando para a praia.

CAPÍTULO III.

UMA CORRIDA DE COMITÊ E UMA LONGA HISTÓRIA.

Era na verdade um grupo singular o que se reuniu na margem do lago: as aves com as asas arrastando, os outros animais com o pelo colado ao corpo, todos encharcados, mal-humorados e contrafeitos.

A primeira questão a colocar-se, portanto, era como secar outra vez: fizeram uma reunião de consulta, e após alguns minutos Alice achou muito natural que estivesse falando familiarmente com eles, como se os conhecesse há tempos. E na verdade teve até uma longa discussão com o Papagaio, que por fim, agastado, apelou para o seguinte argumento:

—Sou mais velho do que você e portanto devo saber mais.

Alice não podia admitir isso, sem antes saber qual a idade dele, e como o Papagaio recusou-se a dizê-la, a discussão ficou por aí mesmo.

Finalmente o Rato, que parecia exercer alguma autoridade entre eles, conclamou:

—Sentem-se todos e escutem-me! Logo os farei secar rapidamente.

Sentaram-se todos de uma vez num grande círculo, com o Rato no meio. Alice fixou os olhos nele ansiosamente, pois estava certa de que ia apanhar um resfriado se não secasse logo, logo.

—Ham!—pigarreou o Rato com ar importante.—Estão todos prontos? Esta história é a coisa mais árida que conheço. Silêncio em volta, por favor! "Guilherme, o Conquistador, cuja causa foi favorecida pelo Papa, logo obteve a submissão dos ingleses, que precisavam de líderes, e nos últimos tempos se tinham habituado à usurpação e à conquista. Edwin e Morcar, condes de Mércia e Nortúmbria..."

—Brrr!—disse o Papagaio tiritando.

—Como?—disse o Rato, franzindo o sobrolho, mas muito polidamente. —Você disse alguma coisa?

—Eu? Nãão!—apressou-se a responder o Papagaio.

—Pensei que tinha dito—comentou o Rato.—Continuando: "Edwin e Morcar, condes de Mércia e Nortúmbria, pronunciaram-se a favor dele, e até Stigand, o patriótico arcebispo de Cantuária, achando isso conveniente..."

—Achando o *quê*?—perguntou o Pato.

—Achando *isso*—replicou o Rato, já meio aborrecido.—Naturalmente você sabe o que *isso* quer dizer.

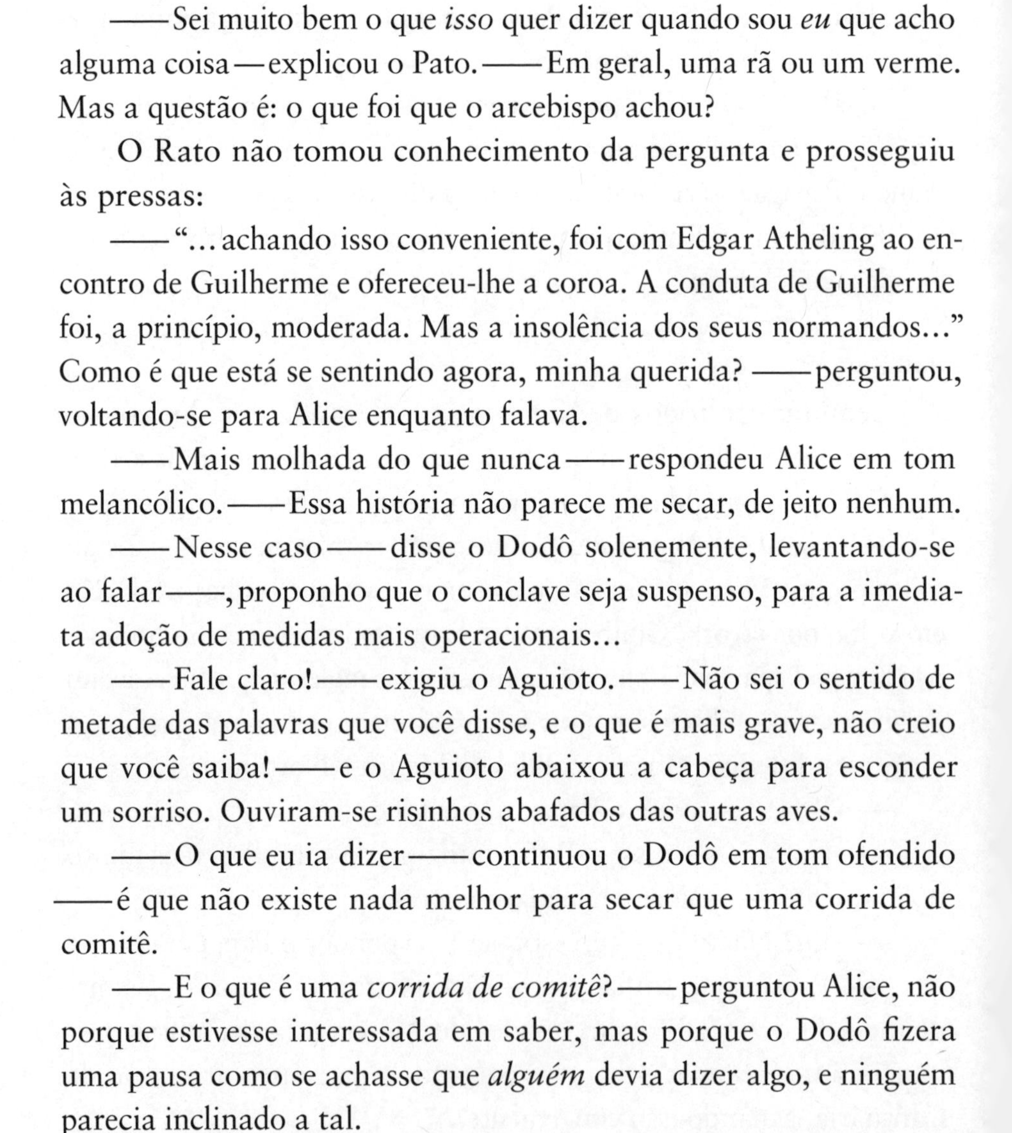

—Sei muito bem o que *isso* quer dizer quando sou *eu* que acho alguma coisa—explicou o Pato.—Em geral, uma rã ou um verme. Mas a questão é: o que foi que o arcebispo achou?

O Rato não tomou conhecimento da pergunta e prosseguiu às pressas:

—"...achando isso conveniente, foi com Edgar Atheling ao encontro de Guilherme e ofereceu-lhe a coroa. A conduta de Guilherme foi, a princípio, moderada. Mas a insolência dos seus normandos..." Como é que está se sentindo agora, minha querida?—perguntou, voltando-se para Alice enquanto falava.

—Mais molhada do que nunca—respondeu Alice em tom melancólico.—Essa história não parece me secar, de jeito nenhum.

—Nesse caso—disse o Dodô solenemente, levantando-se ao falar—, proponho que o conclave seja suspenso, para a imediata adoção de medidas mais operacionais...

—Fale claro!—exigiu o Aguioto.—Não sei o sentido de metade das palavras que você disse, e o que é mais grave, não creio que você saiba!—e o Aguioto abaixou a cabeça para esconder um sorriso. Ouviram-se risinhos abafados das outras aves.

—O que eu ia dizer—continuou o Dodô em tom ofendido—é que não existe nada melhor para secar que uma corrida de comitê.

—E o que é uma *corrida de comitê*?—perguntou Alice, não porque estivesse interessada em saber, mas porque o Dodô fizera uma pausa como se achasse que *alguém* devia dizer algo, e ninguém parecia inclinado a tal.

—Ora—disse o Dodô—a melhor maneira de explicar isso é fazê-lo. (E como vocês talvez queiram experimentar em algum dia de inverno, vou contar-lhes o que fez o Dodô.)

Primeiro marcou a pista da corrida, traçando uma espécie de círculo ("a forma exata não tem muita importância", ele explicou), e depois todo o grupo foi colocado aqui e ali, ao longo da pista. Não havia nenhum "Um, dois, três, já!", pois todos começavam a correr quando quisessem e paravam também à vontade, de modo que não era nada fácil saber quando a corrida tinha terminado. Entretanto, quando já tinham corrido cerca de meia hora e já estavam completamente enxutos outra vez, o Dodô subitamente proclamou:

—— A corrida acabou! —— e todos se reuniram em torno dele, ofegantes, perguntando:

—— Mas quem ganhou?

Essa pergunta o Dodô não soube responder sem pensar antes um bocado. Ficou de pé longo tempo, com um dedo apoiado sobre a fronte (a posição em que geralmente se vê Shakespeare, nas gravuras mais conhecidas), enquanto todos esperavam em silêncio. Finalmente, o Dodô sentenciou:

—— *Todo mundo* ganhou, e *todos* devem ter prêmios.

—— Mas quem vai dar os prêmios? —— falou um coro de vozes.

—— Ora, *ela*, é claro —— disse o Dodô, apontando Alice com um dedo. E todos se reuniram confusamente em torno dela, aos gritos:

—— Prêmios! Prêmios!

Alice não tinha a menor ideia do que fazer e, em desespero de causa, enfiou a mão no bolso e tirou de lá uma caixinha de bombons (felizmente a água salgada não tinha entrado dentro da caixa) e começou a distribuí-los como se fossem prêmios. Deu exatamente um para cada.

—— Mas ela também deve ter um prêmio, não é? —— lembrou o Rato.

—— É claro — respondeu o Dodô, com o ar mais grave do mundo.

—— Que é mais que você tem no bolso? —— perguntou a Alice.

——Só um dedal!——respondeu Alice com tristeza.

——Passe pra cá——pediu o Dodô.

Todos a rodearam outra vez, enquanto o Dodô a presenteava solenemente com o dedal, dizendo:

——Rogamos-lhe que aceite este elegante dedal.

Ao findar este breve discurso, todos aplaudiram.

Alice achou isso tudo completamente absurdo, mas todos pareciam tão sérios que ela não ousava rir. Como não sabia muito bem o que dizer, simplesmente fez uma mesura agradecendo e, tomando o dedal, contemplou-o da maneira mais solene que pôde.

A grande sensação seguinte foi provar os confeitos. Isso provocou certa algazarra e confusão, pois os pássaros maiores se queixavam de que não sentiam gosto algum, enquanto os menores se engasgavam a ponto de precisarem de uma palmada nas costas. Tudo terminou, afinal, e todos sentaram-se outra vez em roda, pedindo ao Rato para lhes contar mais alguma coisa.

——Você prometeu-me contar sua história, está lembrado? ——propôs Alice, acrescentando num sussurro, por temer que ele se ofendesse outra vez:——E dizer por que odeia tanto... G. e C.

——Todo o enredo, de cabo a rabo? Ele é triste e comprido ——disse o Rato, voltando-se para Alice e suspirando.

——Que é comprido, não tem dúvida——observou Alice olhando com espanto para o rabo do Rato——, mas por que dizer que é triste?

E continuou dando tratos à imaginação enquanto o Rato falava, de modo que a ideia que ela acabou fazendo da estória foi mais ou menos esta:

Fúria diz para um rato e pula
em cima no ato: "Vem
depressa, vem logo, vamos
ao tribunal. E eu te processarei
logo. Vem, não quero
qualquer adiamento: pois
tem de ser pra já o julgamento. Agora mesmo
não tenho o que
fazer". Disse o
rato ao bichão:
"Mas tal
processo,
senhor, sem
júri e sem juiz, não
seria isso, talvez,
só perda de
latim?" "Serei
eu o juiz e
serei eu o júri",
disse Fúria, o
ladino. "E
te julgo
na hora,
e te
condeno
agora
nesse
mo-
mento
ao
fim."

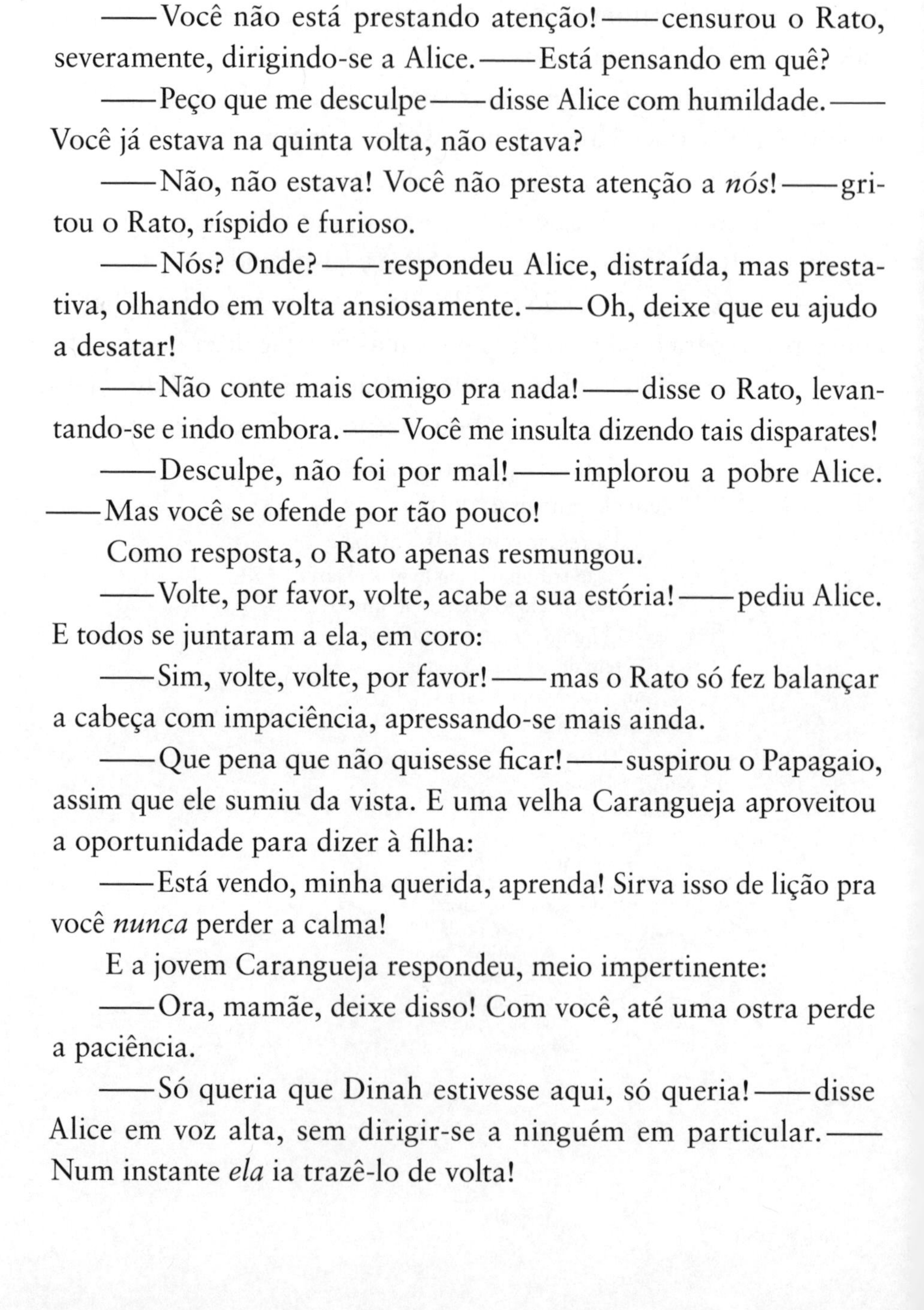

—Você não está prestando atenção!—censurou o Rato, severamente, dirigindo-se a Alice.—Está pensando em quê?

—Peço que me desculpe—disse Alice com humildade.—Você já estava na quinta volta, não estava?

—Não, não estava! Você não presta atenção a *nós*!—gritou o Rato, ríspido e furioso.

—Nós? Onde?—respondeu Alice, distraída, mas prestativa, olhando em volta ansiosamente.—Oh, deixe que eu ajudo a desatar!

—Não conte mais comigo pra nada!—disse o Rato, levantando-se e indo embora.—Você me insulta dizendo tais disparates!

—Desculpe, não foi por mal!—implorou a pobre Alice.—Mas você se ofende por tão pouco!

Como resposta, o Rato apenas resmungou.

—Volte, por favor, volte, acabe a sua estória!—pediu Alice. E todos se juntaram a ela, em coro:

—Sim, volte, volte, por favor!—mas o Rato só fez balançar a cabeça com impaciência, apressando-se mais ainda.

—Que pena que não quisesse ficar!—suspirou o Papagaio, assim que ele sumiu da vista. E uma velha Carangueja aproveitou a oportunidade para dizer à filha:

—Está vendo, minha querida, aprenda! Sirva isso de lição pra você *nunca* perder a calma!

E a jovem Carangueja respondeu, meio impertinente:

—Ora, mamãe, deixe disso! Com você, até uma ostra perde a paciência.

—Só queria que Dinah estivesse aqui, só queria!—disse Alice em voz alta, sem dirigir-se a ninguém em particular.—Num instante *ela* ia trazê-lo de volta!

——E quem é Dinah, se é que posso me atrever a perguntar isso?——indagou o Papagaio.

Alice respondeu animadamente, pois estava sempre pronta para falar de sua gatinha:

——Dinah é a gata lá de casa. Ela é de primeira pra pegar ratinhos, vocês nem imaginam. E, ah, só queria que vocês vissem com os passarinhos. Ela não deixa escapar um só!

Tal discurso provocou extraordinária sensação no grupo. Algumas das aves começaram a debandar imediatamente. Uma velha Gralha agasalhou-se com cuidado e observou:

——Na verdade, acho bom voltar pra casa. Esse sereno vai terminar fazendo mal à minha garganta!

E um Canário chamou seus filhos com voz trêmula:

——Vamos embora, meus queridinhos! Já está ficando tarde e é hora de vocês irem pra cama.

Assim, sob pretextos vários, todos se eclipsaram, e Alice terminou ficando sozinha.

——Só queria não ter falado de Dinah!——queixou-se a si mesma, em tom melancólico.——Parece que por aqui ninguém gosta dela, não sei por quê, pois eu acho a melhor gata do mundo! Oh, Dinah, minha querida, será que algum dia vou te ver de novo?

E a pobre Alice começou a chorar novamente, pois se sentia muito só e de moral muito baixo. Mas daí a pouco ouviu outra vez um tap-tap miúdo de passos à distância. Olhou ansiosa, ainda com esperanças de que o Rato tivesse mudado de ideia e estivesse voltando para acabar sua história.

CAPÍTULO IV.

O COELHO ENVIA UM EMISSÁRIO.

Era o Coelho Branco, que vinha devagar, olhando em volta ansiosamente, como se tivesse perdido alguma coisa. Ela o ouviu murmurando para si mesmo: "A Duquesa! A Duquesa! Ai, minhas pobres patas! Ai, meu pelo e minhas barbas! Ela me fará executar, tão certo quanto um furão é um furão. Onde eu deixei cair isso, *onde*?" Alice adivinhou num instante que ele estava procurando o leque e as luvas brancas e dispôs-se logo a ajudá-lo, procurando também, mas os objetos não estavam em lugar nenhum... tudo parecia ter mudado desde que ela caíra na lagoa de lágrimas: a grande sala, com a mesa de vidro e a pequena porta, esvaíra-se completamente.

Não tardou muito que o Coelho a descobrisse, enquanto ela procurava as luvas. Dirigiu-se a ela em tom enraivecido:

——Ora essa, Mary Ann, que é que você está fazendo aí? Corra até lá em casa, depressa, e me traga um par de luvas e um leque! Rápido, vamos!

Alice ficou tão assustada que correu na direção em que ele tinha apontado, sem tentar sequer explicar o equívoco. "Ele pensou que eu era a empregada", dizia a si mesma enquanto corria. "Imagine a surpresa dele quando descobrir quem eu sou. Mas é melhor trazer seu leque e suas luvas... isto é, se eu conseguir achá-los."

Nesse momento chegou diante de uma casinha simples e elegante. Na porta tinha uma placa de bronze onde estava gravado COELHO B. Entrou sem bater e subiu correndo as escadas, temendo encontrar a verdadeira Mary Ann e ser expulsa da casa antes de encontrar o leque e as luvas.

"Que esquisito tudo isso", disse Alice a si mesma, "fazendo mandados para um coelho! Na certa Dinah será a próxima a me mandar fazer coisas!" E começou a fazer mil fantasias sobre o que poderia acontecer: " 'Senhorita Alice! Vamos logo, apronte-se para o seu passeio!' 'Um minutinho, ama! Tenho de vigiar esse buraco de rato até que Dinah volte, pra ver se o rato não sai'. Mas só que se Dinah começar a dar ordens desse jeito", Alice continuava a pensar, "ela não vai ficar muito tempo lá em casa."

Nesse momento entrou num quarto muito pequeno e arrumado, com uma mesa junto da janela e em cima da mesa (como ela esperava) um leque e dois ou três pares de pequenas luvas brancas. Pegou o leque e as luvas, e ia saindo quando seus olhos caíram numa garrafinha pousada junto ao espelho. Desta vez não havia nenhuma etiqueta com a inscrição BEBA-ME. Mas ela desarrolhou a garrafa e aproximou-a dos lábios. "Sei que *alguma coisa* interessante vai acontecer", pensou, "cada vez que eu beber ou comer qualquer coisa. Espero que isso me faça crescer outra vez, pois já estou farta de ser tão pequenininha!"

E na verdade cresceu, e bem mais cedo do que esperava: antes de ter bebido a metade da garrafa sua cabeça já estava batendo no teto, e ela teve de dobrar-se para não quebrar o pescoço. Apressou-se

em pôr a garrafa no chão, enquanto dizia a si mesma: "Acho que basta... espero que não vá crescer mais do que isso... pois do jeito que está já nem consigo passar pela porta. Bem que seria melhor não ter bebido tanto!"

Ai dela, coitada! Era tarde demais para desejar isso! Pois continuava a crescer e crescer, até que teve de se ajoelhar. Daí a pouco nem isso adiantava, pois não havia mais espaço no quarto. Tentou estirar-se de lado, com um cotovelo apoiado no chão e o outro braço enroscado por cima da cabeça. Mesmo assim continuou a crescer, e o jeito que teve foi colocar um braço fora da janela e um pé por dentro da chaminé. Disse então para si mesma: "Agora não posso fazer mais nada, aconteça o que acontecer. Que vai ser de mim?"

Para grande sorte de Alice, o efeito da garrafinha mágica tinha cessado, e ela parou de crescer. Mas assim mesmo se sentia muito desconfortável, e como não parecia haver mais chance de sair daquele quarto, não admira que se sentisse infeliz.

"Era muito mais agradável lá em casa", pensou a pobre Alice, "quando não se estava sempre crescendo ou diminuindo desse jeito, nem recebendo ordens de ratos e coelhos. Quase chego a desejar não ter entrado nunca na toca do coelho... e apesar disso... e apesar disso... é tão curiosa essa espécie de vida! Só queria saber *o que* aconteceu comigo. Quando eu lia contos de fadas, pensava que essas coisas jamais aconteciam, e cá estou eu metida numa dessas estórias! Deve haver algum livro escrito sobre mim, deve haver! E quando eu crescer, escreverei um... mas eu já cresci." E acrescentou, cheia de tristeza: "pelo menos *aqui* não existe mais espaço para crescer."

"Mas então", pensou Alice, "será que *nunca* vou ficar mais velha do que estou agora? Sempre é um consolo... nunca ser uma mulher velha... mas então terei sempre lições para aprender! Oh, isso não, *disso é* que eu não gostaria mesmo!"

"Oh, Alice, sua bobinha!", respondeu a si mesma. "Como é que você pode ter lições aqui? Ora, mal tem espaço para *você*, quanto mais para livros de aula!"

E assim continuou divagando, fingindo ora dizer alguma coisa, ora responder, como se fosse uma conversa. Mas daí a pouco ouviu uma voz lá de fora e parou para escutar.

——Mary Ann! Mary Ann!——dizia a voz——Traga-me as luvas já, agora mesmo!

Logo depois ouviu-se um passinho miúdo subindo as escadas. Alice compreendeu que era o Coelho que vinha ver o que acontecera e tremeu tanto que abalou a casa, esquecendo-se totalmente de que era mil vezes maior do que o Coelho e que não havia a menor razão para temê-lo.

Nesse momento o Coelho chegara à porta e tentava abri-la. Mas, como a porta abria para dentro, e o cotovelo de Alice estava

encostado nela, a tentativa foi inútil. Alice ouviu-o dizer: "Então vou dar a volta e entrar pela janela."

"*Isso* é que não!", pensou Alice, e, depois de esperar até lhe parecer que o Coelho estava bem debaixo da janela, abriu a mão e fez um gesto de quem ia agarrar alguma coisa no ar. Não segurou coisa alguma, mas ouviu um gritinho estridente, uma queda e um ruído de vidro quebrado, de onde concluiu que ele possivelmente tinha caído numa estufa ou coisa parecida.

A seguir ouviu-se uma voz irada——a do Coelho:

——Pat! Pat! Onde está você?——e depois uma voz que ela ainda não tinha escutado antes:

——Estou aqui, Vossa Incelência, estou aqui! Colhendo maçãs.

——Ah, sim? Colhendo maçãs, é?——disse o Coelho encolerizado. ——Venha cá! Me ajude a sair *daqui*! (Ruídos de mais vidro quebrado.)

——E agora, Pat, me diga: que coisa é aquela ali na janela?

——Hum, é um braço, Vossa Incelência, é um braço!——Ele pronunciava "vossincelência".

——Um braço, seu jumento! Quem já viu um braço daquele tamanho? Ora essa, ele ocupa a janela toda!

——Hum, é mesmo, Vossa Incelência, é mesmo: mas não deixa de ser um braço.

——Bom, seja como for, não tem nada que fazer ali: vá e tire ele de lá.

Depois disso, houve um longo silêncio, e Alice podia ouvir apenas alguns murmúrios aqui e ali. Assim como:

——Hum, não estou gostando nada disso, Vossa Incelência, nada, nada!

——Faça o que estou mandando, seu covarde!

Finalmente, ela abriu novamente a mão e fez novo gesto de agarrar alguma coisa no ar. Dessa vez ouviram-se *dois* gritinhos agudos e mais ruídos de vidro quebrado. "Deve haver uma porção de estufas lá fora!", pensou Alice. "E agora, que é que eles vão fazer? Se querem me puxar pela janela, até *gostaria* que pudessem! Com certeza não estou querendo ficar aqui, não quero mesmo!"

Esperou algum tempo sem ouvir mais nada: finalmente ouviu o ruído de rodas de uma carreta e uma porção de vozes falando ao mesmo tempo. Escutou: "Onde está a outra escada?" "Só pude trazer uma, Bill está com a outra." "Bill, traga isso aqui, rapaz." "Aqui, bote aqui nesse canto." "Não, amarre primeiro as duas... elas não chegam nem na metade." "Oh, chegam demais, deixe de ser tão exigente." "Aqui, Bill! Segure essa corda." "Será que o telhado aguenta?" "Cuidado com aquela telha solta." "Ih, lá vem ela! Abaixem a cabeça!" (Ruído de algo se espatifando.) "Quem fez isso?" "Foi Bill, parece." "Quem vai descer pela chaminé?" "*Eu*, não! Vá *você*! *Então* eu não vou também." "Bill é que tem de descer." "Vem cá, Bill! O patrão diz que você é que tem de descer pela chaminé!"

"Ah, então é Bill quem vai descer pela chaminé, não é?", disse Alice consigo mesma. "Ora, eles sempre botam tudo pra cima do pobre Bill. Eu não queria estar no lugar dele por nada no mundo! A lareira é pequenininha, eu sei, mas *acho* que ainda posso dar um pontapezinho!"

Ajeitou o pé como pôde embaixo da chaminé e esperou até ouvir um pequeno animal (não podia adivinhar qual fosse) arrastando-se por dentro. Então, dizendo a si mesma: "Deve ser Bill", deu um vigoroso pontapé e esperou para ver o que acontecia.

A primeira coisa que ouviu foi um coro geral dizendo "Lá vai Bill!", e depois a voz do Coelho sozinha:

—— Vão procurá-lo, ali perto da cerca!

Fez-se silêncio e depois nova confusão de vozes:

"Levantem a cabeça dele." "Um pouquinho de conhaque." "Cuidado pra não sufocá-lo." "Que foi que houve, amigo velho? Que foi que lhe aconteceu? Conte pra nós!"

Ouviu-se uma voz fraquinha, esganiçada ("É Bill, com certeza", pensou Alice):

—— Bom, nem eu mesmo sei... quero mais não, brigado. Estou melhor agora... mas ainda estou tonto pra dizer alguma coisa... tudo que eu sei é que uma coisa me pegou por baixo, saltando como um boneco de mola, e eu voei feito um foguete!

—— Foi isso mesmo, amigo velho! —— disseram os outros.

—— O melhor agora é botar fogo na casa —— disse a voz do Coelho.

Alice falou então, o mais alto que pôde:

—— Se vocês fizerem isso, solto Dinah em cima de vocês!

Fez-se silêncio mortal, instantaneamente. E Alice pensou: "Só quero ver o que eles *vão* fazer agora! Se tivessem juízo, arrancavam o telhado." Após um ou dois minutos começou de novo a ouvir ruídos de movimentação e a voz do Coelho dizendo:

——Um carrinho cheio basta, pra começar.

"Um carrinho cheio de *quê?*", pensou Alice. Mas não teve muito tempo para pensar, pois nesse momento uma chuva de pedrinhas começou a matraquear pela janela e algumas lhe atingiram o rosto. "Vou botar um ponto final nisso", disse a si mesma e gritou:

——É melhor não fazer mais isso!——o que provocou outro silêncio mortal.

Alice observou, com certa surpresa, que os seixos estavam se transformando em pequenos bolos espalhados pelo chão, e uma ideia brilhante lhe ocorreu. "Se eu comer um desses bolos", pensou, "estou certa de que alguma mudança se dará no meu tamanho. E como não é possível que eu cresça mais, com certeza ficarei menor, eu acho."

Devorou um dos bolinhos e ficou deliciada de ver que estava encolhendo rapidamente. Logo que chegou ao tamanho suficiente para atravessar a porta, correu para fora da casa e viu uma multidão de animaizinhos e pássaros. O pequeno lagarto, Bill, estava no meio, amparado por dois porquinhos-da-índia, que lhe davam alguma bebida. Todos investiram contra Alice no momento em que ela apareceu. Mas ela correu o mais depressa que pôde e logo se viu a salvo num espesso bosque.

"A primeira coisa que tenho de fazer", dizia Alice a si mesma, enquanto divagava pelo bosque, "é voltar ao meu tamanho normal; e a segunda é achar o caminho para aquele lindo jardim. Acho que este é o melhor plano."

Parecia um excelente plano, sem dúvida, muito simples e perfeitamente arquitetado: a única dificuldade é que ela não tinha a menor ideia de como realizá-lo. E enquanto seguia espreitando

ansiosamente entre as árvores, um pequeno latido bem acima da sua cabeça a fez erguer o olhar apressadamente.

Um enorme cachorrinho, olhando para ela com os olhos bem abertos e estirando delicadamente uma pata, tentava alcançá-la. "Coitadinho!", disse Alice, com brandura, e tentou assobiar para ele. Mas estava o tempo todo assustada com o pensamento de que ele podia estar faminto, e nesse caso era bem provável que a comesse, apesar de toda a suavidade dela.

Meio sem saber o que fazia, apanhou um graveto e o estendeu para o cachorrinho. Na mesma hora ele saltou no ar com as quatro patas dando um latido alegre e investiu para o graveto, como se fosse atacá-lo a dentadas. Alice escondeu-se então atrás de um grande cardo, temendo ser pisada, e quando ela apareceu do outro lado, o cachorrinho investiu novamente, tropeçando nos calcanhares, na pressa de apanhar o graveto. Alice pensou que aquilo era o mesmo que brincar com um cavalo e, temendo ser pisada a cada momento, correu de volta para o cardo. O cachorrinho começou então uma série de pequenas investidas contra o graveto, correndo um pouco para frente e depois para trás e latindo roucamente o tempo todo. Até que se cansou, sentando-se um pouco à distância, ofegante, com a língua de fora e os olhos meio fechados.

Isso pareceu a Alice uma boa oportunidade de escapar, e correu até ficar muito cansada e sem fôlego e até que o latido do cachorrinho soasse quase inaudível à distância.

"Mesmo assim, que cachorrinho lindo ele era!", disse Alice, recostando-se num ranúnculo para descansar e abanando-se com uma das folhas. "Gostaria de lhe ensinar umas brincadeirinhas, gostaria muito, se... se eu tivesse o tamanho certo pra fazer isso. Oh, meu Deus! Quase me esqueci de que tenho de crescer outra vez! Deixe ver... como se faz isso? Acho que tenho de comer ou beber qualquer coisa. Mas a grande questão é *o* quê?"

A grande questão sem dúvida era "o quê?". Alice olhou em volta para as flores e as folhas de relva, mas não conseguia ver nada que fosse apropriado para comer ou beber naquelas circunstâncias. Havia um grande cogumelo perto dela, mais ou menos da sua altura; e depois de olhar embaixo dele, em ambos os lados e atrás, ocorreu-lhe a ideia de que podia olhar em cima para ver se havia alguma coisa.

Pôs-se na ponta dos pés e olhou para o alto do cogumelo. Os seus olhos caíram bem em cima de uma grande lagarta azul, sentada sobre o cogumelo, com os braços cruzados, fumando tranquilamente um comprido cachimbo turco, sem prestar a menor atenção a ela ou a qualquer outra coisa.

CAPÍTULO V.

CONSELHOS DE UMA LAGARTA.

A Lagarta e Alice olharam-se por algum tempo em silêncio. Finalmente, a Lagarta tirou o narguilé da boca e perguntou, em voz lânguida e sonolenta:

——Quem é *você*?

Não era um começo de conversa muito animador. Um pouco tímida, Alice respondeu:

——Eu... eu... nem eu mesmo sei, senhora, nesse momento... eu... enfim, sei quem eu *era*, quando me levantei hoje de manhã, mas acho que já me transformei várias vezes desde então.

——Que é que você quer dizer com isso?——perguntou a Lagarta, rispidamente.——Explique-se!

——Acho que *eu mesma* não posso explicar——disse Alice ——porque eu não sou eu, está vendo?

——Não, não estou.

——Acho que não posso explicar melhor——replicou Alice com polidez——porque eu mesma não consigo entender, pra começar. E depois, ter tantos tamanhos diferentes num dia só é muito confuso.

——Não, não é.

——Bom, não sei. Talvez a senhora ainda não tenha passado por isso——continuou Alice——, mas quando tiver de se transformar numa crisálida... pois isso lhe acontecerá algum dia, não é? ... e, depois disso, numa borboleta, tenho a impressão de que achará meio esquisito, não?

——Nem um pouco.

——Bom, quem sabe a *sua* maneira de sentir talvez seja diferente——disse Alice——, mas o que sei é que tudo isso pareceria muito esquisito para *mim*.

——Você!——exclamou desdenhosamente a Lagarta.——E quem é *você*?

Isso levava tudo outra vez ao início da conversa. Alice já estava meio irritada com os comentários *tão* lacônicos da Lagarta. Empertigou-se e disse com a maior seriedade:

——Acho que a *senhora* devia me dizer primeiro quem é.

——Por quê?

Essa pergunta era também desconcertante. Alice não conseguia achar nenhuma boa razão, e como a Lagarta parecia estar com um ânimo desagradável, ela voltou as costas, afastando-se.

——Volte!——chamou a Lagarta.——Tenho algo importante para dizer.

Isso parecia promissor, com certeza. Alice voltou-se e retornou ao cogumelo.

——Acalme-se!——aconselhou a Lagarta.

——É tudo?——perguntou Alice, contendo-se o mais possível.

——Não——esclareceu a Lagarta.

Alice pensou que talvez pudesse esperar um pouco, já que não tinha mais o que fazer, e talvez, no fim de contas, a Lagarta lhe dissesse algo que valesse a pena. Durante alguns minutos a Lagarta tirou algumas baforadas sem dizer nada. Por fim, descruzando os braços, retirou da boca o narguilé e falou:

——Quer dizer que você acha que mudou, não é?

——Tenho a impressão que sim. Não posso me lembrar de tantas coisas como me lembrava antes... e depois, não consegui ficar do mesmo tamanho nem dez minutos seguidos!

——Não pode se lembrar de *que* coisas?——interrogou a Lagarta.

——Bom, por exemplo, tentei recitar "A abelhinha atarefada", mas os versos saíram bem diferentes——respondeu Alice em tom melancólico.

——Recite "Você está velho, Pai Joaquim"——sugeriu a Lagarta.

Alice juntou as mãos e começou:

"Você está velho, Pai Joaquim", disse o rapaz,
"E seu cabelo tão branco como a neve.
Mas de plantar bananeira ainda é capaz.
Na sua idade, você acha que deve?"

"Quando eu era jovem", respondeu Pai Joaquim,
"Temia que o meu juízo se estragasse.
Mas hoje sei: não tenho nenhum, e assim
Vou plantando pra que o tempo passe."

"Você está velho", já disse, o jovem insiste,
"E engordou de modo descomunal.
Como é que na soleira ainda resiste
Entrar dando um salto mortal?"

"Quando eu era jovem", o velho diz pacato,
"Mantive os membros rijos e fortes
Graças a este unguento. É bem barato:
Posso vender-lhe uns dois pacotes?"

"Você está velho", disse o jovem, "e seus dentes,
Pra mastigar já estão fracos demais.
No entanto, devora um ganso, é surpreendente.
Me diga: como é que você faz?"

"Quando jovem", disse o pai, "eu era um justo
E discutia tudo com a patroa.
Por isso as mandíbulas, digo sem susto,
Ganharam tal força: não foi à toa."

"Você está velho", disse o jovem, "ninguém diz
Que sua vista hoje ainda está certa.
Mas equilibra uma enguia no nariz!
Quem lhe deu uma cabeça tão esperta?"

"Já respondi três vezes tais pilhérias",
disse o pai, "e não banques o profundo!
Pensas que vou ficar ouvindo lérias?
Some, ou te dou um pontapé nos fundos!"

—Não recitou certo—observou a Lagarta.

—*Inteiramente* certo não, parece—disse Alice com timidez. —Acho que algumas palavras foram alteradas.

—Está errado dos pés à cabeça—disse a Lagarta, com firmeza. E durante alguns minutos fez-se silêncio.

A Lagarta foi a primeira a falar.

—De que tamanho você quer ser?—indagou.

—Oh, não faço tanta questão de tamanho—apressou-se Alice a dizer—, só que ninguém gosta de estar mudando tanto assim, a senhora sabe.

—*Não*, não sei.

Alice não fez comentários: nunca em sua vida fora tão contestada e sentiu que estava começando a perder a paciência.

—Está satisfeita agora?—perguntou a Lagarta.

—Bom, eu gostaria de ficar um *pouquinho* maior, se a senhora quer saber—respondeu Alice.—Oito centímetros é uma altura tão insignificante!

—É uma altura muito boa, ora essa!—disse a Lagarta encolerizada, erguendo-se ao falar (tinha exatamente oito centímetros de altura).

—Mas eu não estou acostumada!—argumentou a pobre Alice em tom consternado. E pensou: "Só queria que essas criaturas não se ofendessem tão facilmente."

—Com o tempo vai se acostumar—disse a Lagarta, e, colocando o narguilé na boca, começou a fumar de novo.

Desta vez Alice esperou pacientemente até que a Lagarta se decidisse a falar. Depois de algum tempo a Lagarta tirou o narguilé, bocejou uma ou duas vezes e espreguiçou-se. Em seguida desceu do cogumelo e retirou-se rastejando na grama, observando simplesmente, enquanto se afastava:

——Um lado a fará crescer, e o outro lado a fará diminuir.

"Um lado de *quê*? O outro lado de *quê*?", pensou Alice.

——Do cogumelo——disse a Lagarta, como se Alice tivesse perguntado em voz alta. E logo depois sumiu da vista.

Alice ficou olhando o cogumelo pensativamente, tentando saber quais eram os dois lados, pois como ele era perfeitamente redondo, isso era uma questão difícil. Finalmente estirou os braços em volta do cogumelo, o mais distante que pôde um do outro, e tirou um pedaço de cada lado.

"E agora, qual é qual?", pensou consigo mesma e mordiscou um pedacinho da direita para ver o efeito. Quase imediatamente sentiu um violento impacto sob o queixo: ele tinha ido bater nos pés!

Ficou assustadíssima com esta súbita mudança, mas sentiu que não havia tempo a perder, pois estava encolhendo rapidamente. Esforçou-se para comer uma parte do outro pedaço. Seu queixo estava tão imprensado contra os pés que mal havia espaço para ela abrir a boca, mas finalmente conseguiu abocanhar um pouco do pedaço da mão esquerda.

* * * * * *

* * * * *

* * * * * *

——Que bom, minha cabeça está livre outra vez!——exclamou Alice com prazer, que logo se transformou em novo susto ao notar que os seus ombros tinham sumido de vista: tudo que ela podia ver, ao olhar para baixo, era uma imensidão de pescoço, que parecia erguer-se como uma chaminé de um mar de folhas verdes que jaziam bem abaixo dela.

"Que são essas coisas verdes lá em baixo?", disse Alice. "E meus ombros, onde é que se meteram? E ai, minhas mãozinhas, como é que eu não vejo vocês?" Ela movia as mãos enquanto falava, mas não conseguia ver nada, exceto uma leve agitação nas folhas verdes bem longe.

Como não havia jeito de levantar as mãos até a cabeça, tentou baixar a cabeça até as mãos e ficou deliciada de ver que podia mover o pescoço facilmente em qualquer direção, como uma serpente. Tinha conseguido curvá-lo com um gracioso zigue-zague e mergulhar a cabeça entre as folhas que descobriu serem da copa das árvores sob as quais estivera vagueando. De súbito, um silvo agudo a fez recuar às pressas: uma grande pomba voara de encontro ao seu rosto e batia nela violentamente com as asas.

——Serpente!——gritou a Pomba com estridência.

——Não sou serpente *nenhuma*!——disse Alice indignada.——Deixe-me em paz!

——Serpente, repito!——insistiu a Pomba, mas em tom mais moderado, e acrescentou, com uma espécie de soluço:——Já tentei tudo, todos os lugares, mas nenhum parece dar certo!

——Não tenho a menor ideia do que você está falando——disse Alice.

——Tentei as raízes das árvores, tentei as ribanceiras, tentei as cercas...——continuou a Pomba, sem lhe dar atenção——mas essas serpentes! Nada as satisfaz!

Alice estava cada vez mais intrigada, mas achou que era inútil dizer qualquer coisa até que a Pomba terminasse de falar.

——Como se não bastasse ter de chocar os ovos——disse a Pomba——ainda tenho de vigiar as serpentes noite e dia! Há três semanas que não consigo pregar olho.

—— Sinto muito esses aborrecimentos todos —— disse Alice, que estava começando a entender.

—— E justamente quando arranjei a árvore mais alta da floresta, justamente quando pensava estar livre delas afinal, elas parecem vir se retorcendo lá do céu! Serpente, ugh!

—— Mas eu *não* sou serpente, já lhe disse —— protestou Alice. —— Sou uma... sou uma...

—— Bem, você é *o quê*? —— disse a Pomba. —— Estou vendo que está tentando inventar alguma coisa!

—— Eu... eu sou uma menina —— disse Alice um pouco hesitante, pois se lembrava das inúmeras mudanças que sofrera naquele dia.

—— Uma linda estorinha, na verdade! —— disse a Pomba com profundo desdém. —— Já vi uma porção de meninas na minha vida, mas nunca vi uma com pescoço *tão* grande! Não, não! Você é uma serpente, não adianta negar isso. Não vai me dizer que nunca provou um ovo!

—— É *claro* que já comi ovos —— disse Alice, que não sabia mentir ——, mas as meninas comem ovos normalmente, tanto quanto as serpentes, você sabe.

—— Não acredito nisso —— disse a Pomba ——, mas se comem, então elas são uma espécie de serpente. É tudo que eu posso dizer.

A ideia era tão nova para Alice que ela ficou silenciosa durante um ou dois minutos, o que deu à pomba a oportunidade de acrescentar:

—— Você está procurando ovos, sei disso *muito* bem. E que me importa então se você é uma menina ou uma serpente?

—— Para *mim*, importa demais —— disse Alice apressadamente. —— Acontece que não estou procurando ovos. E se estivesse, não ia querer os *seus*: não gosto de ovos crus.

——Desapareça, então!——disse a Pomba, em tom mal-humorado, enquanto se recolhia de novo ao seu ninho. Alice agachou-se entre as árvores do jeito que pôde, pois seu pescoço se emaranhava entre os galhos e de vez em quando tinha de parar e desenredá-lo. A certa altura lembrou-se de que ainda tinha os dois pedaços de cogumelo nas mãos. Com muito cuidado, mordiscou primeiro um pedaço e depois outro, aumentando um pouco e diminuindo um pouco, até que finalmente conseguiu voltar à sua altura normal.

Já fazia tanto tempo que ela não tinha o seu tamanho normal, que a princípio estranhou um bocado. Mas em poucos minutos se acostumou e, como de costume, começou a falar consigo mesma: "Ótimo, metade do meu plano já se realizou. Que coisa mais confusa essas mudanças todas! Nunca sei o que vai me acontecer no minuto seguinte. Mas agora pelo menos já voltei ao meu tamanho normal: a próxima coisa a fazer é entrar naquele lindo jardim... Como vou conseguir isso, é o que eu queria saber!" Enquanto murmurava essas coisas, chegou de repente a uma clareira. No meio havia uma casinha de cerca de um metro e vinte de altura. "Seja lá quem for que viva aí dentro", pensou Alice, "não seria conveniente entrar com *esta* altura: eu os assustaria tanto que ficariam transtornados!" Começou então a mordiscar outra vez o pedaço da mão direita e não se arriscou a chegar perto da casa até que tivesse descido a cerca de vinte e cinco centímetros de altura.

CAPÍTULO VI.

PORCO E PIMENTA.

Durante um ou dois minutos, Alice ficou diante da casa, perguntando-se sobre o que devia fazer, quando de repente surgiu um lacaio correndo de dentro do bosque (ela o considerou um lacaio porque estava de libré, mas a julgar pela cara diria apenas que era um peixe), o qual bateu ruidosamente à porta. Esta foi aberta por outro lacaio de libré, com uma cara arredondada e grandes olhos de rã. Os dois lacaios tinham cabeleiras empoadas e encaracoladas. Alice ficou curiosíssima de saber o que se passava e esgueirou-se furtivamente do bosque para escutar.

O Lacaio-Peixe começou por retirar de debaixo do braço um enorme envelope, quase do seu tamanho, e entregou-o dizendo, em tom solene:

——Para a Duquesa. Um convite da Rainha para jogar croqué.

O Lacaio-Rã repetiu, com a mesma solenidade, apenas mudando a ordem das palavras:

——Da Rainha. Um convite à Duquesa para jogar croqué.

Ambos se inclinaram, e suas cabeleiras se embaraçaram uma na outra.

Alice riu tanto com isso que teve de voltar correndo para o bosque, temendo que eles a ouvissem. Quando espiou de novo o Lacaio-Peixe tinha ido embora, e o outro estava sentado no chão, contemplando parvamente o céu.

Alice aproximou-se timidamente da porta e bateu.

——Não adianta nada bater——disse o Lacaio——,e isso por duas razões: primeiro, porque estou do mesmo lado da porta que você está; e segundo, porque estão fazendo uma tal barulheira lá dentro que provavelmente ninguém a escutaria.

De fato, o barulho lá dentro era tremendo: uivos e espirros eram constantes, e de vez em quando ruídos como se pratos e panelas estivessem se espatifando.

—Então, por favor—disse Alice—, como posso entrar?

—Teria algum sentido você bater—continuou o Lacaio, sem lhe dar a menor atenção—se a porta estivesse entre nós. Por exemplo, se você estivesse *lá dentro*, poderia bater e eu deixar você sair, compreende?

Continuava a olhar para o céu o tempo todo, enquanto falava, e isso Alice achou decididamente pouco educado. "Mas talvez ele não possa evitar isso", pensou, "pois seus olhos estão *muito* em cima da cabeça. Em todo caso, devia responder às perguntas."

—Como é que posso entrar?—repetiu em voz alta.

—Ficarei sentado aqui—observou o Lacaio—até amanhã...

Nesse momento a porta abriu-se e uma travessa veio girando bem na direção da cabeça do Lacaio: apenas roçou pelo seu nariz e foi espatifar-se contra uma árvore atrás dele.

—...ou depois-de-amanhã, talvez—continuou o Lacaio no mesmo tom, exatamente como se nada tivesse acontecido.

—Como é que posso entrar?—perguntou Alice outra vez, em tom mais alto.

—Você *precisa* entrar, de qualquer modo?—disse o Lacaio. —Essa é a primeira questão, você sabe.

Era, sem dúvida: só que Alice não gostou nada que lhe dissessem isso. "É realmente medonha", murmurou para si mesma, "a mania que essas criaturas têm de discutir. É de enlouquecer qualquer um!"

O Lacaio pareceu achar a pausa uma boa oportunidade para repetir seu comentário, com algumas variações:

——Eu me sentarei aqui——disse——de vez em quando, dias e mais dias.

——Mas, e eu, o que é que faço?——perguntou Alice.

——O que você quiser——disse o Lacaio, e começou a assobiar.

"Oh, não adianta falar com ele", disse Alice desesperada, "é perfeitamente idiota!" E abrindo a porta, entrou.

A porta abria diretamente em cima de uma ampla cozinha, que estava cheia de fumaça de um lado a outro. A Duquesa estava sentada no meio, num tamborete de três pernas, acalentando um bebê. A cozinheira estava inclinada sobre o fogão, mexendo um caldeirão enorme que parecia cheio de sopa.

"Tem pimenta demais naquela sopa, com certeza", disse Alice consigo mesma, enquanto espirrava.

E pelo menos no *ar* havia, certamente, muita pimenta. Até mesmo a Duquesa espirrava de vez em quando. Quanto ao bebê, espirrava e berrava alternadamente, sem um momento de descanso. As duas únicas criaturas na cozinha que *não* espirravam eram a cozinheira e um gato enorme sentado junto ao forno, que sorria de uma orelha à outra.

——Por favor, podia me dizer——principiou Alice meio tímida, pois não tinha certeza se era bem educado falar primeiro——por que o seu gato sorri daquele jeito?

——É um gato de Cheshire——respondeu a Duquesa——, aí está. Porco!

Disse a última palavra com tal violência, que Alice saltou para trás. Mas viu logo que a Duquesa se dirigia ao bebê e não a ela. Assim, tomou coragem e continuou:

——Não sabia que os gatos de Cheshire sorriam. Pra falar a verdade, nem sabia que os gatos *podiam* sorrir.

——Todos podem——disse a Duquesa——e a maior parte o faz.

——Não conheço nenhum que faça isso——argumentou Alice muito cortesmente, satisfeitíssima de ter começado uma conversa.

——Você não sabe muita coisa——disse a Duquesa.——Essa é que é a verdade.

Alice não gostou nada do tom desse comentário e pensou que seria melhor achar outro assunto para a conversa. Enquanto dava tratos à imaginação, a cozinheira tirou o caldeirão do fogo e imediatamente começou a lançar tudo que estava a seu alcance na direção da Duquesa e do bebê. Primeiro vieram os atiçadores; e depois uma chuva de caçarolas, travessas e pratos. A Duquesa não lhes deu a menor atenção, mesmo quando atingida. E o bebê já berrava tanto antes que era impossível dizer se ele tinha sido atingido ou não.

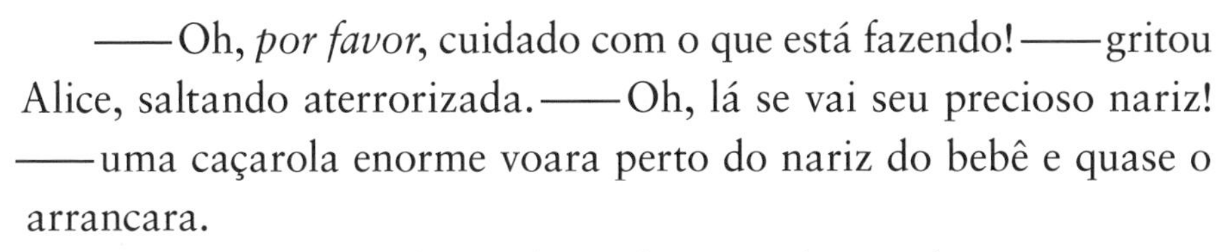

—Oh, *por favor*, cuidado com o que está fazendo!—gritou Alice, saltando aterrorizada.—Oh, lá se vai seu precioso nariz! —uma caçarola enorme voara perto do nariz do bebê e quase o arrancara.

—Se todo mundo cuidasse da sua vida—disse a Duquesa, grunhindo asperamente—, o mundo giraria muito mais depressa.

—O que não seria *nenhuma* vantagem—disse Alice, contentíssima da oportunidade de mostrar seus conhecimentos.—Pense só no que aconteceria com o dia e a noite! Veja bem. A terra leva vinte e quatro horas para marchar do...

—Por falar em machado—disse a Duquesa—, corte-lhe a cabeça!

Alice olhou um pouco ansiosa para a cozinheira, para ver se ela pretendia seguir a sugestão. Mas a cozinheira continuava ocupadíssima em mexer a sopa e parecia não escutar coisa alguma. Assim, prosseguiu a explanação:

—...do oeste para leste, girando em torno do seu eixo. Vinte e quatro horas, *penso* eu. Ou serão doze? Eu...

—Oh, não *me* aborreça!—disse a Duquesa.—Nunca pude aturar números!

E logo a seguir começou a acalentar o bebê, cantando uma espécie de canção de ninar e dando-lhe uma violenta sacudidela ao fim de cada verso:

Fala bruto com o bebezinho,
    Dá-lhe firme quando ele espirra.
Sem dó, torce-lhe o focinho:
    Ele faz isso só de birra.

CORO
(em que entravam a cozinheira e o bebê):
Urra! Urra! Urra!

Enquanto a Duquesa cantava o segundo verso, agitava o bebê violentamente de um lado para o outro. O pobre-coitado berrava tanto que Alice mal podia ouvir as palavras da canção:

Falo rude com o pequenino,
Dou-lhe firme quando ele espirra.
Com força, torço-lhe o pepino:
Ele adora a pimenta, irra!

CORO
Urra! Urra! Urra!

——Tome! Pode acalentá-lo um pouco, se quiser!——disse a Duquesa a Alice, atirando-lhe o bebê enquanto falava.——Preciso me aprontar para jogar croqué com a Rainha.

E saiu da sala apressadamente. A cozinheira jogou-lhe uma frigideira enquanto ela se afastava, mas errou o alvo.

Alice agarrou o bebê com certa dificuldade, pois era uma criaturinha estranha, com as pernas e os braços estirados em todas as direções, "tal como uma estrela-do-mar", pensou Alice. O coitado resfolegava como uma locomotiva quando ela o apanhou, dobrando-se e desdobrando-se constantemente, de modo que, nos primeiros minutos, tudo que podia fazer era tentar segurá-lo.

Logo que descobriu uma maneira adequada de acalentá-lo (que consistia em retorcê-lo como se fosse um nó, conservando bem presos sua orelha direita e seu pé esquerdo, a fim de evitar que ele se desatasse), carregou-o para o ar livre. "Se eu não levar esta criança, comigo", pensou Alice, "com certeza vão matá-la qualquer dia desses. Não seria um crime deixá-la aí?"

Disse essas últimas palavras em voz alta, e a pequena criatura grunhiu em resposta (a essa altura tinha deixado de espirrar).

——Não grunha——disse Alice ——, isso não é maneira de você se expressar.

O bebê grunhiu outra vez, e Alice olhou muito preocupada para a sua cara a fim de ver o que acontecera. Não havia dúvida de que o bebê tinha um nariz *muito* virado para cima, parecendo mais um focinho do que um nariz de verdade; seus olhos estavam também ficando apertados demais para um bebê. De modo geral, Alice não gostou nada da aparência dele.

"Mas talvez seja só efeito do choro", pensou, olhando de novo para os seus olhos, a fim de ver se tinham lágrimas. Não, não tinham lágrimas.

——Se você vai se transformar num porco, meu querido—— disse Alice, com a maior seriedade ——, eu não terei mais nada com você. Veja bem!

O coitado soluçou outra vez (ou grunhiu, era impossível distinguir agora), e eles caminharam durante algum tempo em silêncio.

Alice estava começando a pensar "E agora? Que é que vou fazer com essa criatura quando voltar pra casa?", quando o bebê grunhiu outra vez e com tal violência que ela olhou assustada para a sua cara. Desta vez *não podia* haver engano possível: era nada mais nada menos do que um porco, e ela viu que seria totalmente absurdo continuar a carregá-lo.

Soltou a pequena criatura no chão e ficou aliviada de vê-la correr tranquilamente para dentro do bosque. "Se tivesse crescido mais", disse ela a si mesma, "ficaria uma criança horrivelmente feia. Mas como porquinho é até bonito, eu acho." E começou a pensar em outras crianças que conhecia, que dariam lindos porquinhos, e estava justamente dizendo a si mesma "se houvesse um jeito seguro de transformá-las..." quando estacou algo surpreendida ao ver o Gato de Cheshire sentado num galho de árvore a alguns metros de distância.

O Gato apenas sorriu ao avistá-la. Alice achou que ele parecia afável. Mas como tinha garras *muito* compridas e dentes bem graúdos, sentiu que devia tratá-lo com respeito.

—Gatinho de Cheshire—começou a dizer timidamente, sem ter certeza se ele gostaria de ser tratado assim, mas ele apenas abriu um pouco mais o sorriso. "Ótimo, parece que gostou", pensou ela, e prosseguiu: —Podia me dizer, por favor, qual é o caminho pra sair daqui?

—Isso depende muito do lugar para onde você quer ir—disse o Gato.

—Não me importa muito onde...—disse Alice.

—Nesse caso não importa por onde você vá—disse o Gato.

—...contanto que eu chegue a *algum lugar*—acrescentou Alice como explicação.

——É claro que isso acontecerá——disse o Gato——, desde que você ande durante algum tempo.

Isso Alice viu que era impossível negar. Tentou, pois, outra pergunta:

——Que espécie de gente vive por aqui?

——*Naquela* direção——disse o Gato, apontando com a pata direita ——mora um Chapeleiro. E *naquela*——acrescentou, levantando a outra pata——mora a Lebre de Março. Visite um ou o outro, tanto faz: ambos são loucos.

——Mas eu não quero me encontrar com gente louca——observou Alice.

—Você não pode evitar isso— replicou o Gato.—Todos nós aqui somos loucos. Eu sou louco. Você é louca.

—Como sabe que eu sou louca?—indagou Alice.

—Deve ser—disse o Gato—ou não teria vindo por aqui.

Alice achou que isso não provava coisa alguma. Em todo caso, continuou:

—E você sabe que é louco?

—Pra começar—disse o Gato —, um cachorro não é louco. Concorda?

—Acho que sim—disse Alice.

—Pois bem—explicou o Gato —, um cachorro rosna quando está com raiva e balança a cauda quando está contente, compreende? Enquanto *eu* rosno quando estou satisfeito e balanço a cauda quando estou com raiva, está entendendo? Portanto eu sou louco.

—Não chamo isso rosnar, mas ronronar.

—Chame como quiser—disse o Gato.—Vai jogar croqué com a Rainha hoje?

—Gostaria muito—disse Alice—, mas não fui convidada ainda.

—Você me encontrará lá—disse o Gato e esvaiu-se no ar.

Alice não ficou muito surpreendida com isso, já que estava acostumada com esses acontecimentos esquisitos. Enquanto ainda contemplava o lugar de onde tinha sumido, ele surgiu outra vez de repente.

—A propósito, o que houve com o bebê?—disse o Gato. — Quase ia me esquecendo de perguntar.

—Transformou-se num leitão—respondeu Alice tranquilamente, como se o Gato tivesse voltado de modo natural.

—Era o que eu pensava—disse o Gato e esvaneceu-se outra vez.

Alice esperou mais um pouco, na expectativa de vê-lo ainda, mas ele não apareceu. Depois de algum tempo caminhou na direção onde morava a Lebre de Março. "Já vi chapeleiros antes", ela pensou. "A Lebre de Março deve ser mais interessante, e depois, como estamos em maio, talvez ela não esteja delirando... pelo menos não estará tão louca quanto em março." Enquanto murmurava isso, levantou a vista e lá estava o gato outra vez, sentado num galho de árvore.

—Você disse "leitão" ou "letão"?—perguntou o Gato.

—Eu disse "leitão"—respondeu Alice, acrescentando: —Gostaria que você não aparecesse ou sumisse tão de repente. Deixa qualquer um tonto.

—Está bem—concordou o Gato. E dessa vez desapareceu bem devagarinho, começando com a ponta da cauda e terminando com o sorriso, que ainda ficou suspenso no ar algum tempo depois que o corpo tinha desaparecido.

"Está aí", pensou Alice, "já vi muitos gatos sem sorriso. Mas sorriso sem gato! É a coisa mais curiosa que já vi na minha vida."

Não andou muito até chegar diante da casa da Lebre de Março. Pensou que só podia ser aquela, pois as chaminés tinham a forma de orelhas e o teto era coberto de pele. Era uma casa tão grande que ela decidiu não chegar mais perto sem mordiscar um pouco do pedaço de cogumelo da mão esquerda e atingir cerca de setenta centímetros de altura. Mesmo assim caminhou um pouco temerosa e tímida em direção à casa, dizendo para si mesma: "Imagine se no fim de contas ela estiver delirando. Quase chego a desejar que tivesse ido ver o Chapeleiro!"

CAPÍTULO VII.

UM CHÁ BASTANTE LOUCO.

Diante da casa, sob uma árvore, havia uma mesa posta: a Lebre de Março e o Chapeleiro tomavam chá: um Leirão estava imprensado entre os dois, profundamente adormecido, e eles o usavam como se fosse uma almofada, descansando nele os cotovelos e falando por cima da sua cabeça. "Isso deve ser bem incômodo para o Leirão", pensou Alice, "mas como ele está dormindo, acho que não deve se importar muito..."

A mesa era bastante espaçosa, mas os três estavam amontoados num canto.

——Não tem mais lugar! Não tem mais lugar!——gritaram ao ver Alice aproximar-se.

——Tem lugar *demais*!——disse Alice indignada, sentando-se numa grande poltrona numa das cabeceiras.

——Aceita um pouco de vinho?——perguntou a Lebre de Março em tom muito amável.

Alice olhou em volta da mesa: não havia nada exceto chá.

——Não vejo vinho nenhum——ela observou.

——E não há nenhum mesmo——disse a Lebre de Março.

——Então não foi nada educado de sua parte me oferecer——disse Alice irritada.

——Também não foi educado de sua parte sentar-se sem ser convidada——replicou a Lebre de Março.

——Não sabia que a mesa era *sua*——disse Alice.——Está posta para muito mais do que três pessoas.

——Você precisa cortar o cabelo——disse o Chapeleiro. Até então estivera olhando para Alice com grande curiosidade e essa era a primeira vez que falava.

——E você precisa aprender a não fazer comentários pessoais——disse Alice com severidade.——Isso é uma grosseria.

O Chapeleiro esbugalhou os olhos ao ouvir isso, mas tudo que disse foi:

——Por que um corvo se parece com uma escrivaninha?

"Ótimo, temos divertimento pela frente!", pensou Alice. "Acho muito bom que eles tenham começado a propor adivinhas."

——Creio que posso acertar essa——disse em voz alta.

——Quer dizer que você pensa que pode encontrar a resposta para isso?——perguntou a Lebre de Março.

——Exatamente——respondeu Alice.

——Então deve dizer o que pensa——continuou a Lebre de Março.

——Eu digo o que penso——apressou-se Alice a dizer.——Ou pelo menos... pelo menos penso o que digo... é a mesma coisa, não é?

——Não é a mesma coisa nem um pouco!——protestou o Chapeleiro.——Seria o mesmo que dizer que "Vejo o que como" é o mesmo que "Como o que vejo"!

——Seria o mesmo que dizer——acrescentou a Lebre de Março——que "Gosto daquilo que consigo" é o mesmo que "Consigo aquilo de que gosto"!

——Seria o mesmo que dizer——acrescentou o Leirão, parecendo falar enquanto dormia——que "Respiro quando durmo" é o mesmo que "Durmo quando respiro"!

——No seu caso é a *mesma* coisa——disse o Chapeleiro ao Leirão. Nesse ponto a conversa parou e o grupo ficou silencioso um minuto, enquanto Alice aproveitava para se lembrar de tudo que sabia sobre corvos e escrivaninhas, o que não era lá muita coisa.

O Chapeleiro foi o primeiro a romper o silêncio.

——Que dia do mês é hoje?——perguntou, voltando-se para Alice. Tirara o relógio do bolso e contemplava-o com ar apreensivo, sacudindo-o de vez em quando e suspendendo-o junto ao ouvido.

Alice pensou um pouco e depois respondeu:

——Hoje é quatro.

——Dois dias atrasado!——suspirou o Chapeleiro.——Eu bem que lhe disse que a manteiga não ia adiantar nada!——disse ele, olhando ferozmente a Lebre de Março.

——Era a *melhor* manteiga que tinha——replicou a Lebre de Março com ar submisso.

——Sim, mas devem ter caído migalhas de pão——resmungou o Chapeleiro.——Você não devia ter usado a faca de pão pra passar.

A Lebre de Março apanhou o relógio e contemplou-o melancolicamente. Depois mergulhou-o na xícara de chá e contemplou-o outra vez. Mas não achou nada de melhor para dizer, exceto repetir seu comentário inicial:

——Era a *melhor* manteiga que tinha, eu juro.

Alice estava olhando com certa curiosidade por cima do ombro.

——Que relógio engraçado!——observou.——Ele marca o dia do mês, mas não marca a hora!

——E por que devia?——resmungou o Chapeleiro.——Por acaso o *seu* relógio marca o ano?

——É claro que não——replicou Alice prontamente——, mas isso é porque se fica no mesmo ano uma porção de tempo.

——E esse é exatamente o caso do *meu* relógio——disse o Chapeleiro.

Alice ficou terrivelmente desconcertada. O comentário do Chapeleiro parecia não ter o menor sentido, embora fosse gramaticalmente correto.

——Não consigo entendê-lo muito bem——ela disse o mais cortesmente possível.

——O Leirão está dormindo outra vez——disse o Chapeleiro, e despejou um pouco de chá quente no nariz dele.

O Leirão balançou a cabeça com ar impaciente e disse, sem abrir os olhos:

——É claro! É claro! É justamente o que eu ia dizer.

——Já descobriu a solução?——disse o Chapeleiro, voltando-se para Alice.

——Não, desisto——respondeu Alice.——Qual é a resposta?

——Não tenho a menor ideia——disse o Chapeleiro.

——Nem eu——disse a Lebre de Março.

Alice suspirou enfastiada.

—Acho que você devia ter mais o que fazer—comentou—ao invés de gastar o tempo com adivinhas sem respostas.

—Se você conhecesse o Tempo tão bem quanto eu conheço — disse o Chapeleiro—, não falaria em gastá-lo como se ele fosse *uma* coisa. Ele é *alguém*.

—Não sei o que você quer dizer—respondeu Alice.

—Claro que não sabe!—disse o Chapeleiro, inclinando a cabeça para trás com desdém.—Diria mesmo que você jamais falou com o Tempo!

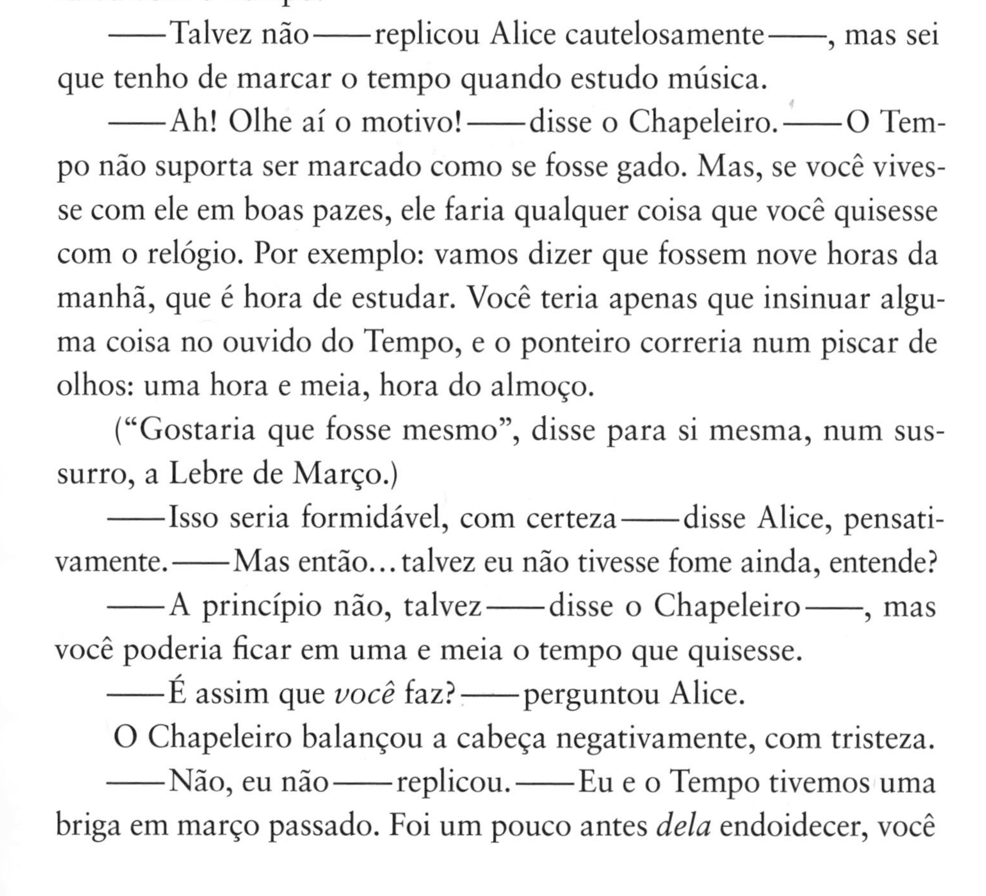

—Talvez não—replicou Alice cautelosamente—, mas sei que tenho de marcar o tempo quando estudo música.

—Ah! Olhe aí o motivo!—disse o Chapeleiro.—O Tempo não suporta ser marcado como se fosse gado. Mas, se você vivesse com ele em boas pazes, ele faria qualquer coisa que você quisesse com o relógio. Por exemplo: vamos dizer que fossem nove horas da manhã, que é hora de estudar. Você teria apenas que insinuar alguma coisa no ouvido do Tempo, e o ponteiro correria num piscar de olhos: uma hora e meia, hora do almoço.

("Gostaria que fosse mesmo", disse para si mesma, num sussurro, a Lebre de Março.)

—Isso seria formidável, com certeza—disse Alice, pensativamente.—Mas então... talvez eu não tivesse fome ainda, entende?

—A princípio não, talvez—disse o Chapeleiro—, mas você poderia ficar em uma e meia o tempo que quisesse.

—É assim que *você* faz?—perguntou Alice.

O Chapeleiro balançou a cabeça negativamente, com tristeza.

—Não, eu não—replicou.—Eu e o Tempo tivemos uma briga em março passado. Foi um pouco antes *dela* endoidecer, você

sabe — apontou com a colher de chá para a Lebre de Março...
— Foi no grande concerto dado pela Rainha de Copas, e eu tinha de cantar

Pisca, pisca, lindo morcego,
Rodopiando em voo cego!

— Conhece a canção, não conhece?
— Já ouvi qualquer coisa parecida — disse Alice.
— Ela continua, você sabe — prosseguiu o Chapeleiro —, desse jeito:

Voa bem alto, assim ao léu,
Qual bandeja de chá no céu.
Pisca, pisca...

Nesse ponto o Leirão estremeceu e começou a cantar, ainda dormindo:

——Pisca, pisca; pisca, pisca...——e continuou por tanto tempo que tiveram de lhe dar um beliscão para ele parar.

——Bom, eu mal tinha acabado o primeiro verso——continuou o Chapeleiro——quando a Rainha saltou e vociferou: "Ele está aqui matando o tempo! Cortem-lhe a cabeça!"

——Mas que selvageria!——exclamou Alice.

——E desde então——disse o Chapeleiro em tom melancólico—— ele não faz mais nada que eu peço. É sempre seis horas da tarde!

Uma ideia luminosa ocorreu a Alice:

——É por isso que tem tantas xícaras de chá na mesa?

——Sim, é por isso——suspirou o Chapeleiro.——Está sempre na hora do chá e não temos tempo pra lavar a louça entre um chá e outro.

——E é por isso que vocês ficam rodando em volta da mesa? ——perguntou Alice.

——Exatamente——respondeu o Chapeleiro.——À medida que as coisas vão ficando sujas.

——Mas o que é que acontece quando vocês dão a volta completa?——arriscou-se Alice a perguntar.

——Que tal mudarmos de assunto?——interrompeu a Lebre de Março, bocejando.——Estou cansada disso tudo. Proponho que a jovem aqui nos conte uma estória.

——Acho que não sei nenhuma——disse Alice, um pouco inquieta com a proposta.

——Então o Leirão contará!——gritaram ambos.——Acorda, ó Leirão!——e ambos beliscaram o Leirão dos dois lados.

O Leirão abriu vagarosamente os olhos.

——Eu não estava dormindo——disse, numa voz fraca e roufenha.——Ouvi tudo o que vocês diziam.

——Conte uma estória!——disse a Lebre de Março.

——Sim, por favor!——implorou Alice.

——E seja rápido——acrescentou o Chapeleiro——, senão você dorme de novo antes de acabar.

——Era uma vez três irmãzinhas——começou o Leirão apressadíssimo——e seus nomes eram Elsie, Lacie e Tillie; elas viviam no fundo de um poço...

——E de que viviam?——perguntou Alice, que estava sempre interessada em questões de comer e beber.

——Viviam de melado——respondeu o Leirão, depois de alguns minutos de reflexão.

——Não pode ser——observou Alice com gentileza.——Teriam ficado doentes, entende?

——E ficaram——disse o Leirão.——*Muito* doentes.

Alice tentou imaginar esse extraordinário modo de vida, mas ficou bastante confusa. Continuou, pois, a perguntar:

——Mas por que viviam no fundo de um poço?

——Aceite um pouco mais de chá——disse a Lebre de Março com ar muito compenetrado.

——Não tomei nenhum ainda——replicou Alice com ar ofendido. ——Então como é que posso tomar *mais*?

——Você quer dizer que não pode tomar *menos*——observou o Chapeleiro.——É bem mais fácil tomar *mais* do que tomar nada.

——Ninguém pediu *sua* opinião——disse Alice.

——E agora, quem é que está fazendo comentários pessoais?——perguntou o Chapeleiro com ar de triunfo.

Alice não sabia muito bem o que responder; serviu-se então de um pouco de chá e torradas, e voltou-se para o Leirão, repetindo sua pergunta:

——Por que elas viviam no fundo de um poço?

O Leirão refletiu outra vez um ou dois minutos, antes de responder:

——Era um poço de melado.

——Isso não existe!——começou Alice a dizer com raiva, mas foi interrompida pelos psst! psst! do Chapeleiro e da Lebre, enquanto o Leirão observava, amuado:

——Se você não consegue ser educada, então é melhor acabar a estória você mesma.

——Não, por favor, continue!——implorou Alice humildemente. ——Não interromperei mais. Vamos dizer que exista *um* poço desses.

——Um, hein?——disse o Leirão indignado. Mas concordou em continuar:——E assim as três irmãzinhas... elas estavam aprendendo a extrair, compreende?

——Extrair o quê?——perguntou Alice, esquecendo-se totalmente da sua promessa.

——Melado——respondeu o Leirão, desta vez sem pensar nada.

——Preciso de uma xícara limpa——interrompeu o Chapeleiro. ——Avancemos todos um lugar.

Avançou um lugar enquanto falava, seguido pelo Leirão; a Lebre de Março deslocou-se para o lugar do Leirão e Alice, com muita má vontade, mudou-se para o lugar da Lebre. O único a tirar qualquer vantagem da mudança foi o Chapeleiro, e Alice ficou bem pior do que antes, pois a Lebre de Março tinha acabado de derramar o jarro de leite no seu prato.

Sem querer ofender outra vez o Leirão, Alice começou a falar com grandes cautelas:

——Mas, não estou entendendo. De onde é que elas extraíam o melado?

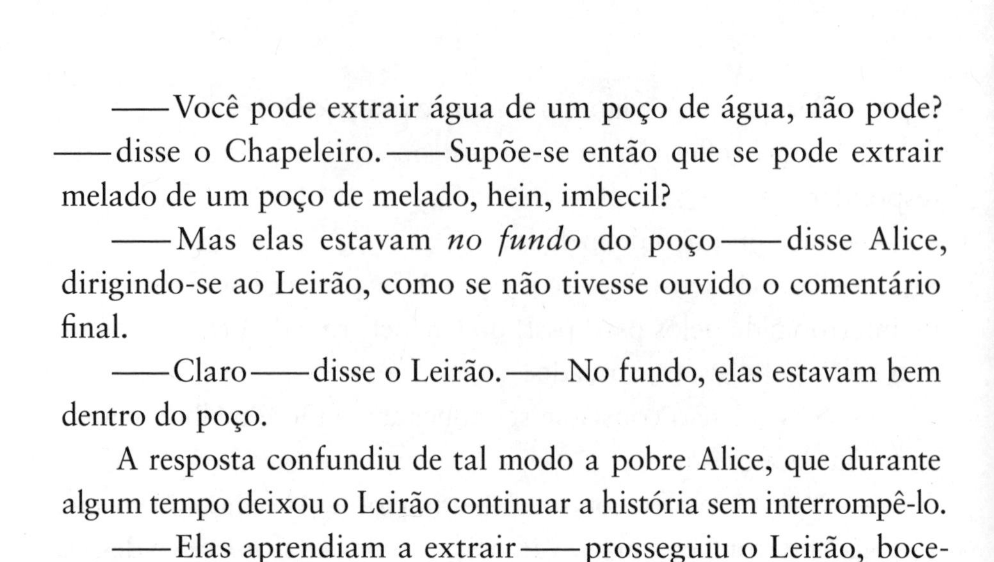

—Você pode extrair água de um poço de água, não pode? —disse o Chapeleiro.—Supõe-se então que se pode extrair melado de um poço de melado, hein, imbecil?

—Mas elas estavam *no fundo* do poço—disse Alice, dirigindo-se ao Leirão, como se não tivesse ouvido o comentário final.

—Claro—disse o Leirão.—No fundo, elas estavam bem dentro do poço.

A resposta confundiu de tal modo a pobre Alice, que durante algum tempo deixou o Leirão continuar a história sem interrompê-lo.

—Elas aprendiam a extrair—prosseguiu o Leirão, bocejando e esfregando os olhos, pois começava a ficar sonolento—e extraíam toda espécie de coisas... tudo que começava com M...

—Por que com M?—perguntou Alice.

—E por que não?—disse a Lebre de Março.

Alice permaneceu calada.

O Leirão tinha fechado os olhos, a essa altura, e começara a cochilar; mas, ao ser beliscado pelo Chapeleiro, deu um gritinho agudo e continuou:

—... tudo que começa com M, coisas como os maus-olhados, a meia-lua, a memória, a magnitude... sabe? Como quando se diz "um evento de tal magnitude"... Já imaginaram uma coisa como a extração da magnitude?

—Realmente, agora que você está me perguntando—disse Alice, já muito confusa—não sei bem dizer se...

—Então não devia dizer nada—disse o Chapeleiro.

Essa grosseria passava dos limites para Alice: levantou-se muito desgostosa e foi se afastando dali. O Leirão adormeceu imediatamente, e nenhum dos outros dois prestou a mínima atenção

à sua saída, embora ela olhasse para trás umas duas vezes, meio esperançosa de que eles a chamassem de volta: a última vez que os viu, estavam tentando enfiar o Leirão dentro do bule de chá.

——Seja como for, jamais voltarei *àquele* lugar!——ela declarou, enquanto abria caminho através do bosque.——Foi o chá mais idiota em que já tomei parte em toda a minha vida!——Enquanto dizia isso observou que uma das árvores tinha uma porta, permitindo o acesso ao interior. "Isso é bastante curioso!", pensou ela. "Mas o que não é curioso hoje? Acho que posso muito bem entrar na árvore." E foi entrando.

Outra vez achou-se dentro da sala comprida e perto da mesinha de vidro. "Desta vez já sei como vou fazer", disse para si mesma. E começou por tirar a chavezinha dourada de cima da mesa, abrindo depois a porta de acesso ao jardim. Em seguida pôs-se a mordiscar o cogumelo (que tinha guardado no bolso), até ficar reduzida a trinta centímetros mais ou menos. Atravessou depois a pequena passagem. E *então*... achou-se dentro do lindo jardim, entre canteiros de flores reluzentes e fontes de água fresca.

CAPÍTULO VIII.

O CAMPO DE CROQUÉ DA RAINHA.

Uma grande roseira se erguia à entrada do jardim: as rosas eram brancas, mas três jardineiros se ocupavam em pintá-las de vermelho. Alice achou isso bastante curioso e aproximou-se para ouvir o que diziam. Ao chegar bem perto, ouviu um deles reclamar:

—Cuidado, Cinco! Não fique salpicando tinta em cima de mim desse jeito!

—A culpa não é minha—disse Cinco, aborrecido.—Foi Sete que bateu no meu cotovelo.

Ao ouvir isso, Sete levantou a vista e disse:

—Ah, é assim? Parabéns, Cinco! Sempre jogando a culpa em cima dos outros!

—É melhor *você* não falar!—disse Cinco.—Ainda ontem ouvi a Rainha dizer que você merecia ser decapitado!

—Por quê?—perguntou o que tinha falado primeiro.

— Não é da *sua* conta, Dois!—disse Sete.

—Desculpe, *é* da conta dele sim!—disse Cinco.—E eu vou dizer a ele... foi porque Sete levou raízes de tulipa pra cozinheira, em vez de cebolas.

Sete jogou o pincel no chão e estava começando a dizer:

—Sim, senhor! De todas as injustiças que...—quando seus olhos caíram por acaso em Alice, que os estava observando. Calou-se subitamente e os outros se voltaram, inclinando-se os três em sinal de respeito.

—Vocês podiam me dizer, por favor—perguntou Alice meio tímida—, por que estão pintando essas rosas?

Cinco e Sete não disseram nada, mas olharam para Dois. Este começou a explicar em voz baixa:

—Bem, senhorita, o caso é o seguinte: isto aqui devia ser uma roseira *vermelha*, mas por engano plantamos uma roseira branca. E se a Rainha der por isso, seremos todos decapitados, está entendendo? E aí, moça, antes que ela veja, entende?, estamos fazendo o possível para...

Nesse exato momento Cinco, que estivera olhando ansiosamente em volta do jardim, gritou:

—A Rainha! A Rainha!

Os três jardineiros se atiraram imediatamente de bruços ao chão. Ouviam-se muitas passadas e Alice olhou em volta, ávida de ver a Rainha.

Primeiro surgiram dez soldados carregando clavas em forma de naipe de paus; eram todos iguais aos três jardineiros, retangulares e planos, com os pés e os braços saindo dos cantos. Vinham a seguir os cortesãos, ornamentados com diamantes em forma do naipe de ouros; caminhavam dois a dois, como os soldados. Também em duplas, saltando alegremente de mãos dadas, vinham os infantes reais, ornamentados com o naipe de copas. Atrás deles, os convidados, a maior parte Reis e Rainhas. Entre os convidados Alice avistou o Coelho Branco, falando apressado e nervoso; sorrindo a tudo que diziam, passou por ela sem notá-la. Seguia-se o Valete de Copas, carregando a coroa do Rei numa almofada de veludo vermelha. E, finalmente, encerrando esse pomposo cortejo, o REI E A RAINHA DE COPAS.

Alice estava em dúvida se devia ou não jogar-se de rosto contra o chão como os jardineiros, mas não conseguia lembrar-se de tal regra na passagem de cortejos, "e além disso, de que serviria um cortejo", pensou ela, "se todo mundo ficasse deitado de cara no chão, sem poder vê-lo?"

Assim, permaneceu de pé onde estava, esperando.

Quando o cortejo passou por Alice, todos pararam e olharam para ela. A Rainha indagou severamente:

——Que é isso?——dirigiu-se ao Valete de Copas, que por única resposta inclinou-se e sorriu.

——Idiota!——declarou a Rainha, levantando a cabeça com impaciência. E, voltando-se para Alice, prosseguiu:——Como é o seu nome, jovem?

——Meu nome é Alice, para servir à Vossa Majestade——disse Alice com polidez; mas acrescentou para si mesma: "Ora, eles são apenas um baralho de cartas, no fim de contas. Não preciso ter medo deles!"

——E quem são esses *aí*?——indagou a Rainha, apontando para

os três jardineiros, prostrados em volta da roseira. Pois deitados como estavam de rosto contra o chão e sendo o desenho das costas o mesmo do resto do baralho, ela não podia saber se eram jardineiros, soldados, cortesãos ou até mesmo três dos infantes reais.

——Como é que vou saber?——respondeu Alice, surpreendida com a sua própria coragem——Isso não é de *minha* conta.

A Rainha ficou vermelha de raiva, e, depois de olhar para ela um momento como uma fera selvagem, urrou com voz esganiçada:

——Cortem-lhe a cabeça! Cortem-lhe a...

——Bobagem!——disse Alice em voz alta e decidida, e a Rainha ficou calada.

O Rei pousou a mão no braço da esposa e observou timidamente:

——Pense bem, minha querida: é apenas uma criança!

A Rainha desviou-se dele, irada, e dirigiu-se ao Valete:

——Vire-os para cima!

O Valete, com muito cuidado, virou-os com a ponta dos pés.

——De pé!——gritou a Rainha, com voz estridente.

E os três jardineiros saltaram instantaneamente, inclinando-se com respeito diante do Rei, da Rainha, dos infantes e de todo mundo.

——Parem com isso!——trovejou a Rainha.——Estou ficando tonta!

E então, virando-se para a roseira, prosseguiu:

——O *que* vocês estavam fazendo aqui?

——Para servir a Vossa Majestade——disse o Dois, em tom humilde, e pondo um joelho em terra enquanto falava——nós estávamos tentando...

——Ah, compreendo!——disse a Rainha, que, enquanto isso, estivera examinando as rosas.——Cortem-lhes a cabeça!——gritou. E o cortejo prosseguiu, três dos soldados ficando atrás para executar os infortunados jardineiros. Estes correram para Alice, buscando proteção.

——Não vão executá-los!——disse Alice e colocou-os dentro de uma grande jarra de flores que estava perto. Os três soldados procuraram os jardineiros durante alguns minutos e depois se foram tranquilamente, seguindo o cortejo.

—Cortaram-lhe as cabeças?—perguntou a Rainha, berrando.

—As cabeças rolaram, Majestade, para servi-la!—berraram de volta os soldados.

—Ótimo!—berrou a Rainha.—Sabe jogar croqué?

Os soldados calaram-se e olharam para Alice, pois a pergunta evidentemente era dirigida a ela.

—Sei!—gritou Alice.

—Então venha!—rugiu a Rainha, e Alice juntou-se ao cortejo, curiosíssima de saber o que iria acontecer em seguida.

—O dia... o dia está lindo, não?—murmurou uma voz tímida ao seu lado. Era o Coelho Branco, olhando para ela com ar inquieto.

—Muito mesmo!—respondeu Alice.—Onde está a Duquesa?

—Shh! Shh!—murmurou o Coelho apressadamente. Olhando com ansiedade para trás ao falar, ergueu-se na ponta dos pés e sussurrou junto ao ouvido de Alice:—Ela foi condenada.

—A que pena?—perguntou Alice.

—Você disse "Ah, que pena!"?—quis saber o Coelho.

—Não, não disse isso—respondeu Alice.—Não acho que seja uma pena de maneira nenhuma. Eu perguntei "A que pena?"

—A ser executada. Ela deu um murro no ouvido da Rainha... — começou a explicar o Coelho, mas Alice teve um acesso de riso bem alto.—Shh!—murmurou o Coelho assustadíssimo.—A Rainha pode ouvi-la! Mas entende, a Duquesa chegou atrasada e a Rainha disse...

—Ocupem seus lugares!—trovejou a Rainha, e todos começaram a correr em todas as direções, tropeçando uns nos outros. Em poucos minutos, contudo, todos estavam a postos, e o jogo começou. Alice pensou que jamais vira um jogo de croqué tão bizarro em toda a sua vida: o campo era cheio de saliências e estrias, as bolas eram ouriços vivos, os malhos eram flamingos também vivos e os soldados tinham que se dobrar com as mãos e os pés na terra, formando os arcos.

A principal dificuldade de Alice, desde o início, foi manobrar o seu flamingo; podia segurá-lo confortavelmente sob o braço, com os pés pendurados, mas em geral, exatamente quando conseguia esticar-lhe o pescoço para fazê-lo golpear o ouriço com a cabeça, o flamingo virava-se e olhava-a com ar tão perplexo que Alice estourava de rir; e quando o fazia baixar a cabeça e ia tentar de novo, era irritante ver que o ouriço tinha se desenroscado e já se arrastava lá adiante. Além disso, havia quase sempre uma saliência ou um buraco no caminho por onde pretendia fazer passar o ouriço, e, como os soldados-arcos estavam sempre se levantando e mudando de lugar, Alice chegou logo à conclusão de que, de fato, o jogo era bastante difícil.

Os jogadores jogavam todos ao mesmo tempo, sem esperar a vez, discutindo o tempo todo e disputando os ouriços; e vez por outra, a curtos intervalos, a Rainha ficava possessa, batendo com os pés no chão e berrando a toda hora:

——Cortem a cabeça dele! Cortem a cabeça dela!

Alice começou a sentir-se muito mal: na verdade, até então não tinha altercado com a Rainha, mas isso poderia acontecer a qualquer minuto, "e então", pensava ela, "que será de mim? Essa gente aqui é doida pra cortar a cabeça dos outros: o que me admira é que ainda tenha alguém vivo!"

Olhou em volta procurando algum meio de escapar dali e se perguntava se poderia sair sem ser vista, quando subitamente notou uma curiosa aparição no ar: isso a princípio intrigou-a bastante, mas, depois de observar durante algum tempo, percebeu que era um sorriso e disse para si mesma: "É o Gato de Cheshire. Agora tenho com quem conversar."

——Como é que está indo?——perguntou o Gato, assim que teve boca suficiente para falar.

Alice esperou até que os olhos aparecessem e então cumprimentou-o com a cabeça. "Não adianta falar com ele", pensou, "até que as orelhas apareçam, pelo menos uma delas." Logo a seguir apareceu a cabeça inteira. Alice pôs o flamingo no chão e começou a comentar o jogo, satisfeitíssima de ter alguém que a escutasse. O Gato parecia pensar que já estava visível uma parte suficiente do seu corpo, e nada mais apareceu além da cabeça.

——Não acho que eles façam um jogo limpo——começou Alice em tom de queixa——, e discutem de maneira tão medonha que mal se pode ouvir alguém falar... e não parecem ter regra nenhuma; pelo menos ninguém segue nada... Você não faz ideia de como é confuso as coisas serem todas vivas! Por exemplo, o arco sob o qual devia passar minha bola se mudou para o outro lado do campo... e quando eu ia atingir o ouriço da Rainha ainda há pouco, ele saiu correndo quando viu que o meu se aproximava!

—Que é que você acha da Rainha?—perguntou o Gato em voz baixa.

—Não sei não—disse Alice—, ela é tão...

Exatamente nesse momento viu que a Rainha estava bem atrás dela, ouvindo tudo. Continuou então:

—...hábil nesse jogo que nem sei se vale a pena continuar jogando.

A Rainha sorriu e se afastou.

—Com *quem* você está falando?—perguntou o Rei, caminhando na direção de Alice e olhando para o Gato com grande curiosidade.

—É um amigo meu...um Gato de Cheshire—explicou Alice.—Permita-me que o apresente.

—Não gosto muito da aparência dele—disse o Rei—, mas em todo caso pode me beijar a mão, se quiser.

—Preferiria que me dispensasse—observou o Gato.

—Não seja impertinente—disse o Rei—e não me olhe desse jeito!

Enquanto falava, ocultou-se atrás de Alice.

—Um gato pode olhar de frente um rei—disse Alice.—Li isso em algum lugar, não me lembro onde.

—Bom, ele tem de ir embora daí—decidiu-se o Rei e chamou a Rainha, que passava por perto.—Minha querida! Quero que você faça esse gato desaparecer daqui!

A Rainha só tinha um meio de remover todas as dificuldades:

—Cortem-lhe a cabeça!—gritou, sem voltar-se sequer na direção apontada.

—Eu mesmo vou buscar o carrasco—disse o Rei avidamente, e afastou-se às pressas.

Alice pensou que o melhor seria voltar à sua posição e ver como o jogo se desenrolava, ao ouvir à distância a voz da Rainha, gritando enraivecida. Já a ouvira condenar três dos jogadores a serem executados, por terem perdido a vez. Não estava gostando nada do rumo das coisas, pois o jogo estava de tal modo confuso que ela nunca sabia se era ou não a sua vez. Saiu, pois, em busca do seu ouriço.

O ouriço estava engalfinhado com outro ouriço, o que pareceu a Alice uma excelente oportunidade de usar um deles para impelir o outro. A única dificuldade era que o seu flamingo tinha atravessado para o outro lado do jardim, onde Alice podia vê-lo tentando, sem grandes resultados, levantar voo para uma árvore.

Quando conseguiu recapturar o flamingo e trazê-lo de volta, a luta acabara e os dois ouriços tinham sumido. "Mas isso não tem importância", pensou Alice, "pois todos os arcos desse lado do campo também sumiram." Apertou o flamingo debaixo do braço para que ele não escapasse outra vez e voltou para conversar mais um pouco com o seu amigo.

Ao retornar para junto do Gato de Cheshire, surpreendeu-se de ver uma verdadeira multidão em torno dele. O carrasco, o Rei e a Rainha falavam ao mesmo tempo, em acalorada discussão, enquanto todos os outros permaneciam em silêncio, bastante constrangidos.

Quando Alice apareceu, logo foi chamada para decidir a questão. Repetiram seus pontos de vista, mas, como todos falavam de uma vez, era muito difícil, na verdade, entender exatamente o que diziam.

O ponto de vista do carrasco era que não se podia cortar uma cabeça que não estava presa a um corpo. Nunca fizera tal coisa antes e não iria começar a essa altura da *sua* vida. O ponto de vista do Rei era que qualquer um que tivesse cabeça podia ser decapitado, e tudo o mais era disparate.

O ponto de vista da Rainha era que, se não resolvessem já alguma coisa, ela mandaria executar todo mundo em volta (essa última observação é que ensombrecera a todos, fazendo-os parecer tão sérios e ansiosos).

Alice não achou nada melhor para dizer do que:

——Ele pertence à Duquesa, seria melhor perguntar *a ela.*

A Rainha voltou-se para o carrasco:

——Ela está na prisão. Vá buscá-la.

O carrasco disparou como uma flecha.

No mesmo instante a cabeça do Gato começou a esvanecer-se, de modo que, quando o carrasco voltou com a Duquesa, tinha já desaparecido totalmente. O Rei e o carrasco começaram a procurá--lo freneticamente por toda a parte, enquanto o resto do grupo voltava para o jogo.

CAPÍTULO IX.

A HISTÓRIA DA FALSA TARTARUGA.

——Você não pode imaginar como estou contente de revê-la, minha queridinha!——exclamou a Duquesa, enquanto enfiava o braço afetuosamente sob o de Alice e caminhavam juntas.

Alice alegrou-se de vê-la tão bem-humorada e pensou que talvez fosse só a pimenta que a tornara tão feroz quando se encontraram na cozinha.

"Quando *eu* for uma Duquesa", ia dizendo para si mesma enquanto caminhava (mas não em tom demasiado esperançoso), "não terei pimenta *nenhuma* na minha cozinha. A sopa pode passar muito bem sem isso... Talvez seja sempre a pimenta que torna as pessoas belicosas", continuou a pensar, satisfeita de ter encontrado uma nova espécie de regra, "e vinagre que as torna acres... e camomila que as torna amargas... e... açúcar e coisas parecidas que tornam as crianças doces e suaves. Gostaria que as pessoas grandes soubessem *disso*: não seriam tão sovinas com doces e coisas assim..."

Esqueceu-se completamente da Duquesa a essa altura e teve um ligeiro sobressalto ao ouvir-lhe a voz bem pertinho do ouvido:

——Você está pensando em alguma coisa, minha querida, e isso faz você se esquecer de falar. Não posso lhe dizer já qual é a moral disso, mas daqui a pouco me lembrarei.

——Talvez não tenha nenhuma——arriscou-se Alice a dizer.

——Ora, ora, minha filha! ——disse a Duquesa.——Tudo tem uma moral, é só você procurar bem.

E ao dizer isso comprimia-se junto a Alice, aproximando-se mais dela.

Alice não gostou nada dessa proximidade: primeiro porque a Duquesa era *muito* feia; e depois porque ela era exatamente da altura que lhe permitia pousar o queixo no ombro de Alice, e seu queixo era desagradavelmente pontudo. Todavia, não queria ser grosseira e por isso aguentou do jeito que pôde.

——O jogo parece que está bem melhor agora——comentou, a fim de manter um pouco a conversa.

——É verdade—disse a Duquesa——, e a moral disso é: "Oh, é o amor, é o amor que faz o mundo girar!"

——Alguém disse——murmurou Alice——que ele gira quando cada um cuida do que é da sua conta!

——Ah, perfeito! Isso vem quase a dar no mesmo——disse a Duquesa, cravando seu pontudo queixo no ombro de Alice, enquanto acrescentava——, e a moral *disso* é... "Cuide do sentido, e os sons cuidarão de si mesmos."

"Como ela adora achar uma moral em tudo!", pensou Alice consigo mesma.

——Aposto como você está se perguntando por que não passo o braço em torno da sua cintura——disse a Duquesa, depois de uma pausa.——A verdade é que tenho dúvidas sobre o bom humor do seu flamingo. Será que posso tentar?

——Ele é capaz de bicar—advertiu Alice prudentemente, sem a menor vontade de que a experiência fosse tentada.

——Isso mesmo——disse a Duquesa——, os flamingos e a mostarda bicam. E a moral disso é: "Pássaros da mesma plumagem voam juntos em bando."

——Só que a mostarda não é um pássaro——observou Alice.

——Exato, como sempre——disse a Duquesa.——Mas que maneira clara você tem de dizer as coisas!

——É um mineral, eu *acho*——disse Alice.

——Mas com certeza——disse a Duquesa, que parecia pronta para concordar com tudo que Alice dizia.——Há até uma mina de mostarda pertinho daqui. E a moral disso é: "Quanto mais se possa ter mina, menos se termina."

——Ah, já sei!——, exclamou Alice, que não prestara atenção à última observação.——É um vegetal. Não parece, mas é.

——Concordo inteiramente com você——disse a Duquesa. ——E a moral disso é: "Seja aquilo que você pareceria ser", ou, se quiser isso dito de maneira mais simples: "Nunca imagine que não ser diferente daquilo que pudesse parecer aos outros que você fosse ou poderia ter sido não seja diferente daquilo que você tendo sido poderia ter parecido a eles ser de outro modo."

—Acho que poderia entender melhor—disse Alice com muita polidez—se visse tudo isso escrito. Mas não consigo seguir o que a senhora diz.

—Isso não é nada diante do que eu poderia dizer, se quisesse—replicou a Duquesa em tom satisfeito.

—Por favor, não se dê ao trabalho de dizer isso de maneira mais comprida do que já disse.

—Oh, não fale em dar trabalho!—disse a Duquesa. —Faço-lhe presente de tudo que já disse até agora.

"Aí está um presente bem barato!", pensou Alice. "Ainda bem que não se dão presentes de aniversário desse tipo!" Mas não se atreveu a dizer isso em voz alta.

—Pensando outra vez?—perguntou a Duquesa, com outra pressão de seu pequeno queixo pontudo no ombro de Alice.

—Tenho o direito de pensar—disse Alice com aspereza, pois estava começando a ficar aflita.

—Tem tanto direito—replicou a Duquesa—como os porcos têm de voar. E a mo...

Mas nesse ponto, para grande surpresa de Alice, a voz da Duquesa se apagou, bem no meio da sua palavra favorita, "moral", e o braço que estava entrelaçado com o seu começou a tremer. Alice olhou para cima e ali estava a Rainha diante delas, com os braços cruzados, o cenho franzido e os olhos faiscando.

—Lindo dia, não, Majestade?—começou a dizer a Duquesa em voz baixa e fraca.

—E agora, vou lhe dar um aviso leal—gritou a Rainha, batendo com o pé no chão enquanto falava.—Ou você ou a sua cabeça deve desaparecer num abrir e fechar de olhos! Escolha!

A Duquesa escolheu, sumindo no mesmo instante.

——Vamos continuar com o jogo——disse a Rainha para Alice.

E esta, assustada demais para dizer uma palavra que fosse, seguiu-a lentamente de volta ao campo de croqué.

Os outros convidados tinham aproveitado a ausência da Rainha para descansar na sombra. Mas desde que a avistaram apressaram-se a voltar ao jogo, tendo a Rainha simplesmente observado que um minuto de atraso lhes custaria a vida.

Durante o tempo todo que jogaram a Rainha não parou um minuto de discutir com os jogadores e gritar "Cortem a cabeça dele!" ou "Cortem a cabeça dela!" Os que eram sentenciados ficavam sob a custódia dos soldados, que naturalmente tinham de deixar a sua posição de arcos. Assim, em cerca de meia hora mais ou menos, não havia mais arcos no campo, e todos os jogadores, exceto o Rei, a Rainha e Alice, estavam presos e sentenciados à morte.

A Rainha abandonou então a partida, quase sem fôlego, e perguntou a Alice:

——Você já viu a Falsa Tartaruga?

——Não——respondeu Alice.——Nem sei o que é uma Falsa Tartaruga.

——É aquilo de que se faz a falsa sopa de tartaruga——informou a Rainha.

——Nunca vi e nunca ouvi falar——confessou Alice.

——Venha então——disse a Rainha.——Ela lhe contará sua história.

Enquanto se afastavam, Alice ouviu o Rei dizer em voz baixa ao grupo de condenados:

——Estão todos perdoados.

"Ótimo, *isso* é uma boa coisa", disse ela para si mesma, pois

sentia-se bastante infeliz com as numerosas condenações ordenadas pela Rainha.

Em breve chegaram junto a um Grifo, deitado ao sol e dormindo um sono profundo. (Se vocês não souberem o que é um Grifo, vejam a gravura.)

——Acorde, seu preguiçoso!——ordenou a Rainha.——E leve essa jovem para ver a Falsa Tartaruga e ouvir sua história. Tenho de voltar e verificar algumas execuções que ordenei.

E a Rainha afastou-se, deixando Alice sozinha com o Grifo.

Alice não gostou lá muito do aspecto dessa criatura. Mas pensou que, no fim de contas, seria tão perigoso estar com ele quanto na companhia da feroz Rainha. Portanto, esperou.

O Grifo sentou-se e esfregou os olhos. Contemplou depois a Rainha até que ela sumisse de vista. Riu então à socapa.

——É muito engraçado!——murmurou, meio para si mesmo e meio para Alice.

——Qual é a graça?——perguntou Alice.

——Ora, *ela* é que é engraçada——disse o Grifo.——Você sabe, isso tudo é fantasia dela: nunca executam ninguém. Vamos!

"Todo mundo aqui diz 'Vamos!'", pensou Alice. "Nunca recebi tanta ordem na minha vida, nunca!"

Não foram muito longe até avistarem a Falsa Tartaruga a certa distância. Ela estava sentada, triste e solitária, na saliência de uma pequena pedra, e ao se aproximarem Alice pôde ouvi-la suspirar como se tivesse o coração partido. Apiedou-se profundamente.

——Por que ela está tão triste?——perguntou ao Grifo, e este respondeu, quase com as mesmas palavras que dissera antes:

——É tudo fantasia dela, você sabe: não tem motivo nenhum pra ficar triste. Vamos!

Aproximaram-se da Falsa Tartaruga, que os contemplou com grandes olhos cheios de lágrimas, mas não disse nada.

——Aqui esta jovem——disse o Grifo——quer conhecer a sua história, quer mesmo.

——Eu lhe contarei——disse a Falsa Tartaruga, com uma voz profunda e cavernosa.——Sentem-se, todos dois, e não digam uma só palavra até eu ter acabado.

Sentaram-se, pois, e ninguém disse uma palavra durante alguns minutos. Alice pensou: "Só quero ver como ela pode *acabar*, se não começa nunca". Mas esperou pacientemente.

——Outrora——começou enfim a Falsa Tartaruga, com um profundo suspiro——, eu era uma verdadeira tartaruga.

Essas palavras foram seguidas por um longo silêncio, rompido apenas por um ocasional "Hjkrrh!" do Grifo e soluços constantes da Falsa Tartaruga. Alice estava a ponto de se levantar e dizer: "Obrigada, senhora, por uma história tão interessante!", mas não podia deixar de pensar que *com certeza* havia mais alguma coisa a ser dita. Portanto, ficou sentada e não disse nada.

——Quando éramos pequenos—continuou, por fim, a Falsa

Tartaruga, mais serena, embora soluçando um pouco de vez em quando —, frequentávamos uma escola no mar. A professora era uma velha tartaruga... e nós a chamávamos de Torturuga...

——Mas por que Torturuga, se ela era uma tartaruga?——perguntou Alice.

——Nós a chamávamos de Torturuga porque aprender com ela era uma tortura——respondeu irritada a Falsa Tartaruga.——Na verdade você é bem obtusa, hein?

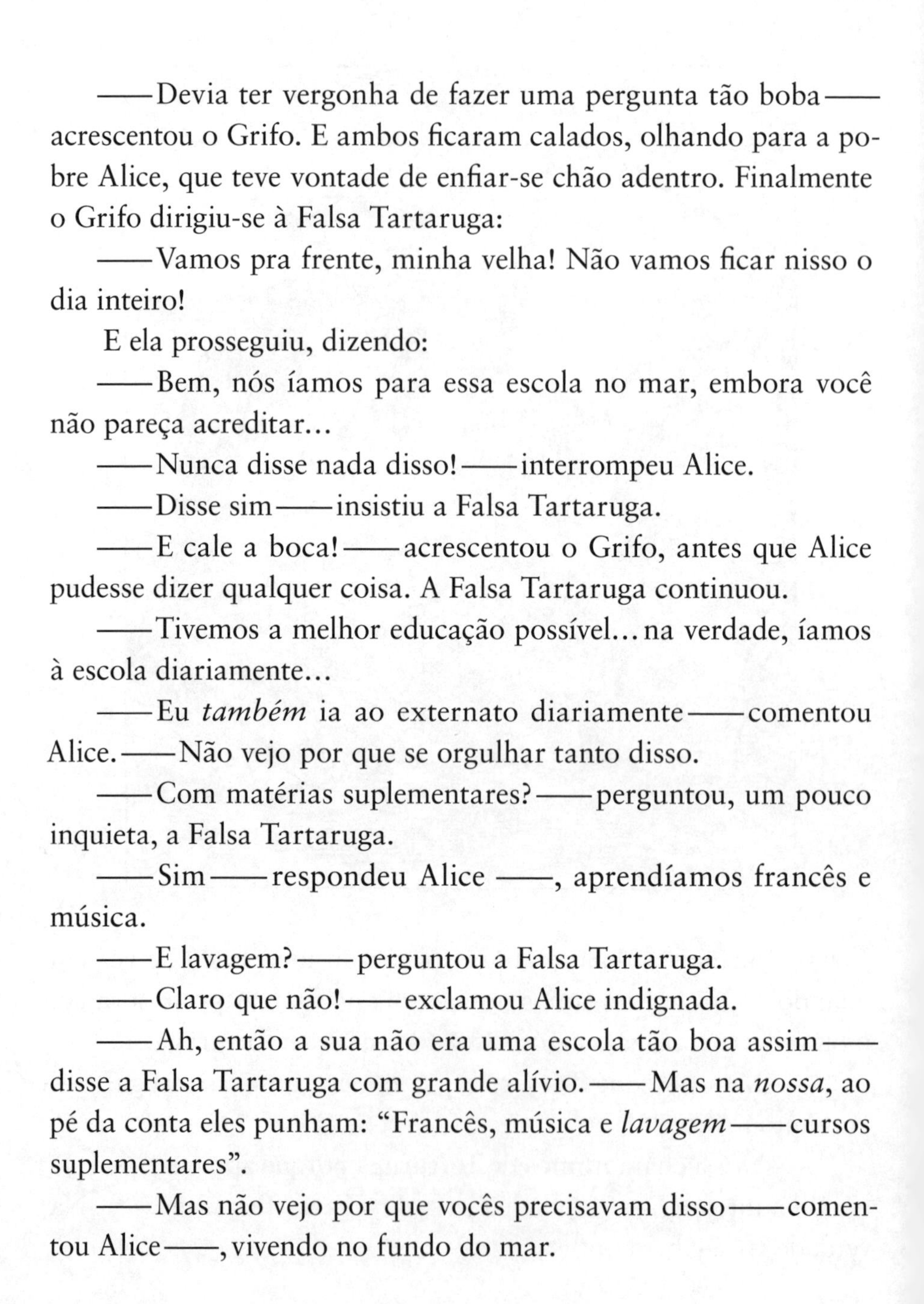

—Devia ter vergonha de fazer uma pergunta tão boba— acrescentou o Grifo. E ambos ficaram calados, olhando para a pobre Alice, que teve vontade de enfiar-se chão adentro. Finalmente o Grifo dirigiu-se à Falsa Tartaruga:

—Vamos pra frente, minha velha! Não vamos ficar nisso o dia inteiro!

E ela prosseguiu, dizendo:

—Bem, nós íamos para essa escola no mar, embora você não pareça acreditar...

—Nunca disse nada disso!—interrompeu Alice.

—Disse sim—insistiu a Falsa Tartaruga.

—E cale a boca!—acrescentou o Grifo, antes que Alice pudesse dizer qualquer coisa. A Falsa Tartaruga continuou.

—Tivemos a melhor educação possível... na verdade, íamos à escola diariamente...

—Eu *também* ia ao externato diariamente—comentou Alice.—Não vejo por que se orgulhar tanto disso.

—Com matérias suplementares?—perguntou, um pouco inquieta, a Falsa Tartaruga.

—Sim—respondeu Alice —, aprendíamos francês e música.

—E lavagem?—perguntou a Falsa Tartaruga.

—Claro que não!—exclamou Alice indignada.

—Ah, então a sua não era uma escola tão boa assim— disse a Falsa Tartaruga com grande alívio.—Mas na *nossa*, ao pé da conta eles punham: "Francês, música e *lavagem*—cursos suplementares".

—Mas não vejo por que vocês precisavam disso—comentou Alice—, vivendo no fundo do mar.

—Eu não tinha recursos pra pagar esses cursos extras — disse a Falsa Tartaruga com um suspiro. —Contentava-me com os cursos regulares.

—E quais eram? —inquiriu Alice.

—As Belas Tretas e o bom Estrilo, pra começar, é claro —replicou a Falsa Tartaruga—, e depois os diferentes ramos da Aritmética: Ambição, Distração, Murchificação e Derrisão.

—Nunca ouvi falar de "Murchificação" —arriscou-se Alice a dizer. —Que é isso?

O Grifo ergueu as patas para o ar, manifestando surpresa.

—O quê? Nunca ouviu falar de murchificação! —exclamou. —Você sabe o que é inchar, não sabe?

—S-im... —respondeu Alice com hesitação. —Quer dizer... acho que é... encher alguma coisa.

—Pois *então* —continuou o Grifo—, se você não entende o que é murchificar, então é uma toleirona.

Alice não teve coragem de perguntar mais nada sobre o assunto. Por isso voltou-se para a Falsa Tartaruga e indagou:

—Que mais se ensinava na escola?

—Bem, tínhamos os Estudos Histéricos —respondeu a Falsa Tartaruga, contando as matérias na pata—, isto é, os fatos histéricos antigos e modernos, e também Marografia; e ainda Desgrenhar: o mestre-desgrenhista era um velho congro que vinha uma vez por semana e nos ensinava a desgrenhar e a espichar em taramela.

—E como é isso? —perguntou Alice.

—Bem, não posso demonstrar eu mesma —disse a Falsa Tartaruga. —Ando meio emperrada. E o Grifo nunca aprendeu isso.

—Não tive tempo—desculpou-se o Grifo. —Estudei com o mestre de Letras Clássicas. Era um caranguejo bem velho, ora se era.

——Nunca frequentei seu curso——disse a Falsa Tartaruga com um suspiro.—Dizem que ele ensinava Pantim e Gaguejo.

——Isso mesmo, isso mesmo——murmurou o Grifo, suspirando por sua vez. E as duas criaturas esconderam a cara nas patas.

——E quantas horas por dia duravam as aulas?——perguntou Alice, apressando-se em mudar de assunto.

——Dez horas no primeiro dia, nove no segundo, e assim por diante——informou a Falsa Tartaruga.

——Que horário engraçado!——exclamou Alice.

——É por isso que se chamavam de cursos——explicou o Grifo. ——Porque de dia para dia as aulas ficavam mais apressadas, pois curso quer dizer corrida, entende?

A ideia era totalmente nova para Alice, e ela refletiu um pouco antes de fazer novo comentário:

——Então o décimo primeiro dia tinha de ser sempre um feriado?

——É claro que sim——respondeu a Falsa Tartaruga.

——E no décimo segundo dia, como é que era?——continuou Alice com vivacidade.

——Basta de falar de lições——interrompeu o Grifo em tom categórico.——Fale a ela agora alguma coisa de jogos.

CAPÍTULO X.

A QUADRILHA DA LAGOSTA.

A Falsa Tartaruga exalou um profundo suspiro e enxugou os olhos com o dorso de uma pata. Contemplou Alice e tentou dizer alguma coisa, mas durante um ou dois minutos os soluços lhe sufocaram a voz.

——É como se tivesse uma espinha de peixe na garganta—— comentou o Grifo e pôs mãos à obra, sacudindo a criatura e dando-lhe tapas nas costas.

Afinal a Falsa Tartaruga recobrou a voz e, com lágrimas correndo pelas faces, continuou a falar:

——Talvez você não tenha vivido muito sob o mar...

——De fato, não——comentou Alice.

——...e talvez nunca tenha sido apresentada a uma lagosta...

Alice já ia dizendo "Uma vez provei...", mas conteve-se a tempo e respondeu:

——Não, nunca.

——...e portanto não pode ter a menor ideia da coisa deliciosa que é uma Quadrilha de Lagostas!

—Confesso que não—disse Alice.—Que espécie de dança é essa?

—Bom—explicou o Grifo.—Primeiro forma-se uma fila ao longo da praia...

—Duas filas!—gritou a Falsa Tartaruga.—Focas, tartarugas, salmões, etc. E depois de afastar as medusas do caminho...

—O que *geralmente* leva algum tempo—interrompeu o Grifo.

—...você dá dois passos para a frente...

—Com uma lagosta por parceira!—gritou o Grifo.

—Claro!—disse a Falsa Tartaruga—...dá dois passos para a frente...

—...troca de lagosta e dá dois passos para trás...—continuou o Grifo.

—E aí, sabe?—prosseguiu a Falsa Tartaruga—, atira as...

—As lagostas!—berrou o Grifo, com um salto no ar.

—...no mar, o mais longe possível...

—Sai nadando atrás delas!—berrou o Grifo outra vez.

—Dá um salto mortal dentro d'água!—gritou também a Falsa Tartaruga, cabriolando feito louca.

—Troca outra vez de lagosta!—urrou o Grifo, quase estourando os pulmões.

—E volta então para a terra. Com isso completa-se a primeira figura—concluiu a Falsa Tartaruga, baixando a voz de repente. E as duas criaturas, que tinham saltado como loucas o tempo todo, sentaram-se outra vez, quietas e tristonhas, olhando para Alice.

—Deve ser uma dança muito linda—murmurou Alice, timidamente.

—Quer ver um pouquinho dela?—animou-se a Falsa Tartaruga.

——Sim, gostaria muito——respondeu Alice.

——Vamos, só a primeira figura!——disse a Falsa Tartaruga, dirigindo-se ao Grifo.——Podemos fazer muito bem sem as lagostas. Quem canta?

——*Você* canta——disse o Grifo.——Já me esqueci da letra.

Começaram a dançar solenemente em volta de Alice, pisando-lhe a ponta dos pés quando passavam muito perto dela e marcando o compasso com as patas dianteiras, enquanto a Falsa Tartaruga cantava, com entonação lenta e melancólica:

“Não pode ir mais ligeirinho?”, disse a enchova ao caracol.
“Atrás de nós há um delfim, que faz sombra e nos tapa o sol.
Veja a lagosta e a tartaruga, o grupo inteiro que avança!
E lá na praia já esperam. Não quer juntar-se à nossa dança?
Você quer, ou não quer, não quer juntar-se à nossa dança?
Você quer, ou não quer, ou não juntar-se à nossa dança?”

“Ah, como é delicioso, você nem pode imaginar
Quando nos pegam e nos atiram, com as lagostas para o mar!”
E o caracol: “Longe demais!” De esguelha, sem confiança,
Agradeceu a gentileza, mas não queria ir à dança.
Não queria, ou não podia, não queria juntar-se à dança.
Não queria, ou não podia, não podia juntar-se à dança.

“Que tem de mais que seja longe?”, diz a amiga com enfado.
“Há outra praia, você sabe? Outra praia do outro lado.
Quanto mais longe da Inglaterra, mais perto se chega da França
Não tenha medo, meu querido, venha juntar-se à nossa dança.
Você quer, ou não quer, não quer juntar-se à nossa dança?
Você quer, ou não quer, ou não juntar-se à nossa dança?”

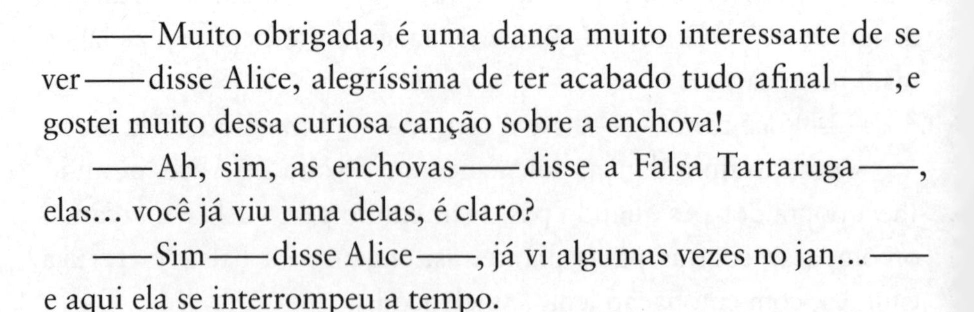

——Muito obrigada, é uma dança muito interessante de se ver——disse Alice, alegríssima de ter acabado tudo afinal——, e gostei muito dessa curiosa canção sobre a enchova!

——Ah, sim, as enchovas——disse a Falsa Tartaruga——, elas... você já viu uma delas, é claro?

——Sim——disse Alice——, já vi algumas vezes no jan...—— e aqui ela se interrompeu a tempo.

—Não sei bem onde fica o Jan—disse a Falsa Tartaruga—, mas se você as viu tantas vezes, é claro que sabe como são.

—Acho que sim—respondeu Alice pensativamente.—Elas têm o rabo na boca... e são cobertas de farelo de pão.

—Nisso de farelo de pão você está enganada—disse a Falsa Tartaruga—, pois o farelo se dissolveria no mar. Mas elas *têm*, sim, o rabo na boca. E a razão disso é...—aqui a Falsa Tartaruga bocejou e fechou os olhos.—Diga a ela qual a razão e tudo o mais—pediu ao Grifo.

—A razão—explicou o Grifo—é que elas *queriam* à fina força ir com as lagostas para a dança. Por isso foram atiradas ao mar. E aí passaram uma porção de tempo caindo. E aí prenderam o rabo na boca. E aí não puderam mais soltar. É só isso.

—Obrigada—disse Alice.—Muito interessante. Nunca aprendi tanto sobre enchovas antes.

—Posso lhe dizer ainda mais, se você quiser—disse o Grifo.—Sabe para que se usam as enchovas no fundo do mar?

—Nunca pensei nesse assunto—disse Alice.—Para quê?

—Usa-se para "enchovalhar" os sapatos e as botas—replicou solenemente o Grifo.

Alice ficou totalmente perplexa.

—Para o quê?—repetiu em tom interrogativo.

—Ora, como é que *você* faz para dar brilho em seus sapatos e botas?—indagou o Grifo.

Alice olhou para os sapatos e pensou um pouco antes de responder.

—Acho que são lustrados com uma escova.

—Pois então!—continuou o Grifo com uma voz profunda.—Sapatos e botas no fundo do mar são "enchovalhados" com enchovas e não limpos com escovas, entendeu?

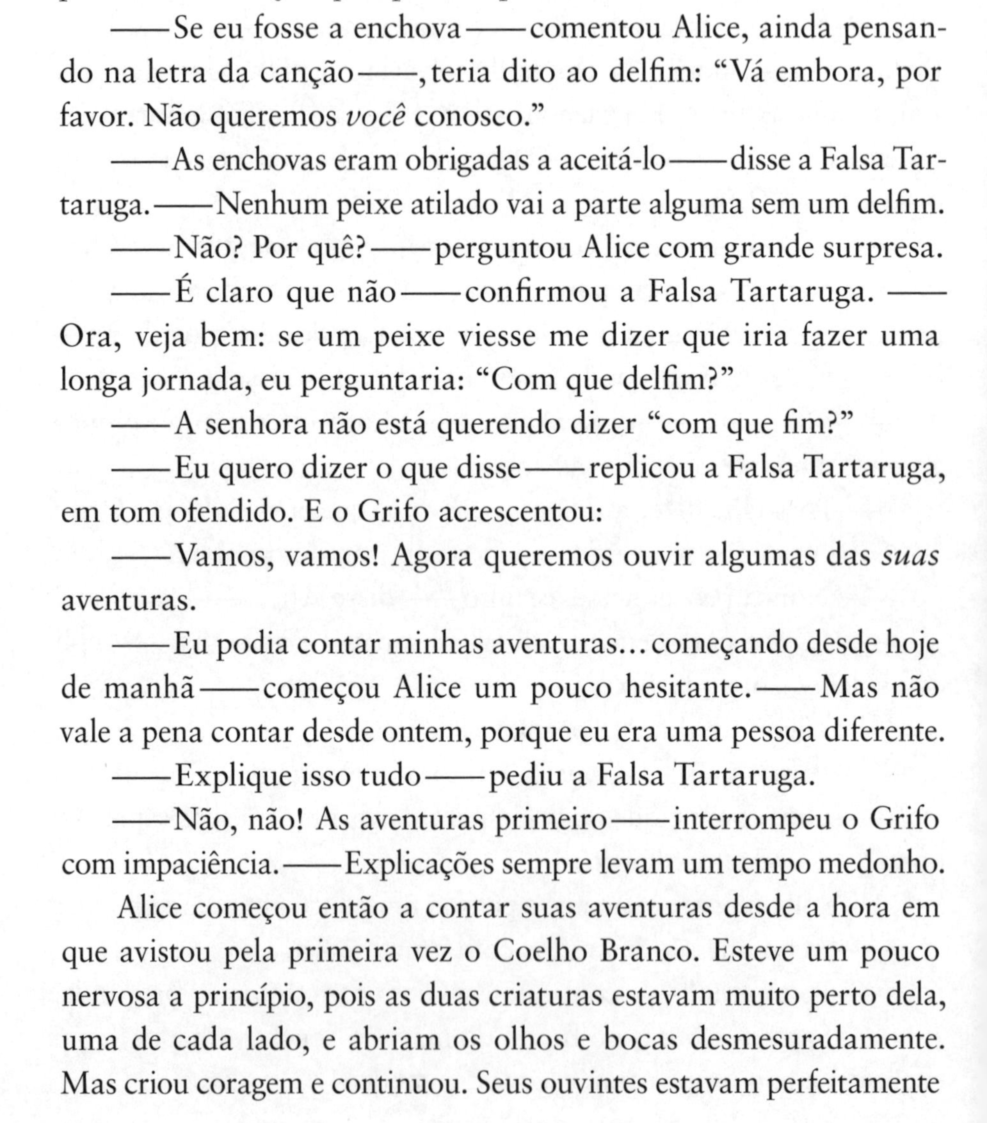

—— E de que é que são feitos os calçados no mar? —— indagou Alice com grande curiosidade.

—— De conchas, é claro —— replicou o Grifo com grande impaciência. —— Qualquer peixote poderia lhe dizer isso.

—— Se eu fosse a enchova —— comentou Alice, ainda pensando na letra da canção ——, teria dito ao delfim: “Vá embora, por favor. Não queremos *você* conosco.”

—— As enchovas eram obrigadas a aceitá-lo —— disse a Falsa Tartaruga. —— Nenhum peixe atilado vai a parte alguma sem um delfim.

—— Não? Por quê? —— perguntou Alice com grande surpresa.

—— É claro que não —— confirmou a Falsa Tartaruga. —— Ora, veja bem: se um peixe viesse me dizer que iria fazer uma longa jornada, eu perguntaria: “Com que delfim?”

—— A senhora não está querendo dizer “com que fim?”

—— Eu quero dizer o que disse —— replicou a Falsa Tartaruga, em tom ofendido. E o Grifo acrescentou:

—— Vamos, vamos! Agora queremos ouvir algumas das *suas* aventuras.

—— Eu podia contar minhas aventuras... começando desde hoje de manhã —— começou Alice um pouco hesitante. —— Mas não vale a pena contar desde ontem, porque eu era uma pessoa diferente.

—— Explique isso tudo —— pediu a Falsa Tartaruga.

—— Não, não! As aventuras primeiro —— interrompeu o Grifo com impaciência. —— Explicações sempre levam um tempo medonho.

Alice começou então a contar suas aventuras desde a hora em que avistou pela primeira vez o Coelho Branco. Esteve um pouco nervosa a princípio, pois as duas criaturas estavam muito perto dela, uma de cada lado, e abriam os olhos e bocas desmesuradamente. Mas criou coragem e continuou. Seus ouvintes estavam perfeitamente sossegados até que ela chegou à parte em que recitou "Você está velho, Pai Joaquim" para a Lagarta e as palavras saíram inteiramente diferentes. A Falsa Tartaruga soltou um longo suspiro e disse:

——Isso é bastante curioso.

——Nada se poderia imaginar de tão curioso——reforçou o Grifo.

——Saiu tudo diferente!——repetiu a Falsa Tartaruga com ar pensativo.——Gostaria de ouvi-la tentar recitar alguma coisa agora. Diga-lhe pra começar a recitar——olhou para o Grifo como se pensasse que ele tivesse alguma espécie de autoridade sobre Alice.

——Levante-se e recite para nós a canção "Era a voz do Preguiçoso" ——ordenou o Grifo.

"Como essas criaturas dão ordens e nos fazem repetir lições!", pensou Alice. "Até parece que estou numa escola."

Levantou-se, em todo caso, e começou a recitar, mas sua cabeça estava tão cheia da Quadrilha da Lagosta que ela mal sabia o que estava dizendo, e as palavras saíram de fato muito estranhas:

Era a voz da Lagosta. Eu a ouvi murmurar:
"Oh, fiquei tão queimada, devo pois me empoar!"
Qual um pato com as patas, ela, com o seu nariz
Cinta e botões ajeita, diz que diz mas não diz.

Quando a maré está baixa, ela entoa uma canção,
Fala pelos cotovelos e troça do Tubarão.
Mas quando é maré cheia, os tubarões em ronda,
Sua voz é mais tímida e ensurdece na onda.

—— É diferente do que *eu* costumava recitar quando era criança —— disse o Grifo.

—— Nunca ouvi isso antes —— comentou a Falsa Tartaruga ——, mas soa como se fosse um extraordinário disparate.

Alice ficou calada. Sentou-se com a cabeça entre as mãos, perguntando-se se alguma coisa *jamais* voltaria a ser normal outra vez.

—— Gostaria de ver isso tudo explicado —— disse a Falsa Tartaruga.

—— Ela não é capaz de explicar —— afirmou o Grifo impetuosamente. —— Vejamos a estrofe seguinte.

—— Mas, e os botões? —— insistiu a Falsa Tartaruga. —— Como ela *podia* ajeitá-los com o nariz, como?

—— É a primeira posição na dança —— explicou Alice. Mas estava terrivelmente desorientada com tudo aquilo e ansiava por mudar de assunto.

—— Vamos ver a outra estrofe —— repetiu o Grifo com impaciência. —— Começa assim: "Ao passar no jardim..."

Alice não ousou desobedecer, embora tivesse certeza de que sairia tudo errado. Começou, pois, com voz trêmula:

Ao passar no jardim, com uma furtiva olhada
Vi a Pantera e o Mocho a dividir uma empada.
A Pantera abocanhava a carne e o molho grato,
E, qual parte no trato, cabia ao Mocho o prato.

Quando a empada acabou, como quem mais não quer,
A Pantera gentil cedeu ao Mocho a colher,
Enquanto pra si guardou faca e garfo, e a rosnar
Concluiu seu festim com o...

——Que é que adianta estar recitando essa maluquice toda ——interrompeu a Falsa Tartaruga——se você não explica enquanto vai dizendo? É, de longe, a coisa *mais* confusa que já ouvi na vida.

——Sim, acho melhor parar mesmo——disse o Grifo. E Alice sentia-se felicíssima de obedecê-lo.

——Devíamos tentar outra figura da Quadrilha da Lagosta? ——continuou o Grifo.——Ou você preferia que a Falsa Tartaruga lhe cantasse uma canção?

——Oh, a canção por favor, se a Falsa Tartaruga não se incomodar——replicou Alice, tão pressurosa que o Grifo não pôde deixar de comentar, um pouco ofendido:——Hmm! Gosto não se discute! Quer cantar a “Sopa de Tartaruga”, amiga velha?

A Falsa Tartaruga soltou um profundo suspiro e, numa voz entrecortada de soluços, pôs-se a cantar:

Que bela sopa, de osso ou aveia,
A ferver na panela cheia!
Quem não diz: ave! Quem não diz: eia!
Quem não diz: opa! Que bela Sopa!
Sopa das sopas, que bela Sopa!
    Que be——la So——opa!
    Que be——la So——opa!
So——pa, só——ó So——opa!
    Que bela Sopa!

Que bela Sopa! Quem não se baba,
Quem não a papa! Quem não a gaba!
Quem não daria tudo só pa——
ra beliscar essa bela Sopa?
Beliscar essa bela Sopa?
Que be——la So——opa!
Que be——la So——opa!
So——pa, só——ó So——opa!
Que bela SO——SOPA!

——O coro outra vez!——gritou o Grifo, e a Falsa Tartaruga já tinha começado a repetir o coro, quando se ouviu um grito à distância: "Começou o julgamento!".

——Vamos!——berrou o Grifo e, pegando Alice pela mão, saiu a todo vapor, sem esperar sequer o fim da canção.

——Que julgamento é esse?——perguntou Alice, arquejando, enquanto corria. O Grifo respondeu apenas:

——Vamos!——e correu ainda mais depressa, enquanto, trazido pela brisa que os seguia, ouvia-se ao longe, cada vez mais fraco, o melancólico estribilho:

So——pa, só——ó So——opa!
Que bela SO——SOPA!

CAPÍTULO XI.

QUEM ROUBOU AS TORTAS?

O Rei e a Rainha de Copas estavam sentados no trono quando eles chegaram, cercados por enorme multidão: toda espécie de aves e animais, além de todas as cartas do baralho. O Valete estava de pé diante deles, agrilhoado, com dois soldados para guardá-lo, um de cada lado. Perto do Rei via-se o Coelho Branco, com uma trombeta numa mão e um rolo de pergaminho na outra. Exatamente no meio do tribunal havia uma mesa, com uma grande travessa cheia de tortas: pareciam tão apetitosas que Alice ficou com uma fome voraz ao avistá-las e pensou: "Quem me dera que esse julgamento acabasse logo e eles distribuíssem o lanche!" Mas não parecia haver a menor hipótese disso, e portanto, para passar o tempo, distraiu-se em observar o que se passava em torno dela.

Alice nunca tinha estado antes numa corte de justiça, mas já tinha lido alguma coisa a respeito, ficando muito satisfeita de comprovar que sabia identificar quase tudo em volta. "Lá está o juiz", disse consigo mesma. "Sei disso por causa da peruca."

O juiz, por falar nisso, era o próprio Rei. E como ele usava a coroa em cima da peruca (vejam o frontispício do livro, se quiserem conferir), não parecia se sentir lá muito confortável, e com certeza não estava nada atraente.

"E lá está o compartimento do júri", continuou pensando, "e aquelas doze criaturas (ela era obrigada a dizer 'criaturas' porque alguns deles eram animais e outros pássaros), suponho que sejam os jurados." Disse esta última palavra duas ou três vezes para si mesma, muito orgulhosa disso: pois pensava, e não sem razão, que muito poucas meninas de sua idade saberiam o seu significado. Mas, se tivesse dito "membros do júri", também seria certo.

Os doze jurados estavam ocupadíssimos, escrevendo sobre lousas.

——Que é que eles estão fazendo?——sussurrou Alice no ouvido do Grifo.——Não podem ter nada para escrever ali, já que o julgamento ainda não começou.

——Estão escrevendo seus próprios nomes——sussurrou o Grifo em resposta——, pois têm medo de se esquecerem disso antes do fim do julgamento.

——Que idiotas!——exclamou Alice indignada, em voz alta, mas calou-se imediatamente, pois o Coelho Branco gritou:

——Silêncio no tribunal!——e o Rei pôs os óculos, olhando em volta com ar inquieto, para ver quem estava falando. Alice pôde constatar, tão bem como se estivesse olhando por cima dos seus ombros, que todos os jurados estavam escrevendo "Que idiotas!" nas suas lousas. E até observou que um deles, hesitando sobre como se escrevia "idiotas", pediu auxílio ao vizinho. "Imagino a linda trapalhada que vai ser a lousa deles, antes do julgamento acabar", ela pensou.

Um dos jurados tinha um giz que rangia. Isso, é claro, Alice *não* podia suportar. Deu a volta no tribunal e postou-se atrás dele, logo achando uma oportunidade de tirar-lhe o giz. Fez com tal rapidez que o pobre jurado (que não era outro senão Bill, o Lagarto) não entendeu o que tinha acontecido. Procurou por toda parte sem sucesso e foi, portanto, obrigado a escrever com um dedo o resto da sessão: o que pouco lhe valeu, pois o dedo não deixava marca alguma na lousa.

——Arauto, leia a acusação!——ordenou o Rei.

Imediatamente o Coelho Branco soprou três vezes a trombeta e, desenrolando o pergaminho, leu o que se segue:

A Rainha de Copas fez umas tortas
    Certo dia de verão
O Valete de Copas roubou as tortas
    Sem hesitação.

——Pensem no veredito——disse o Rei ao júri.

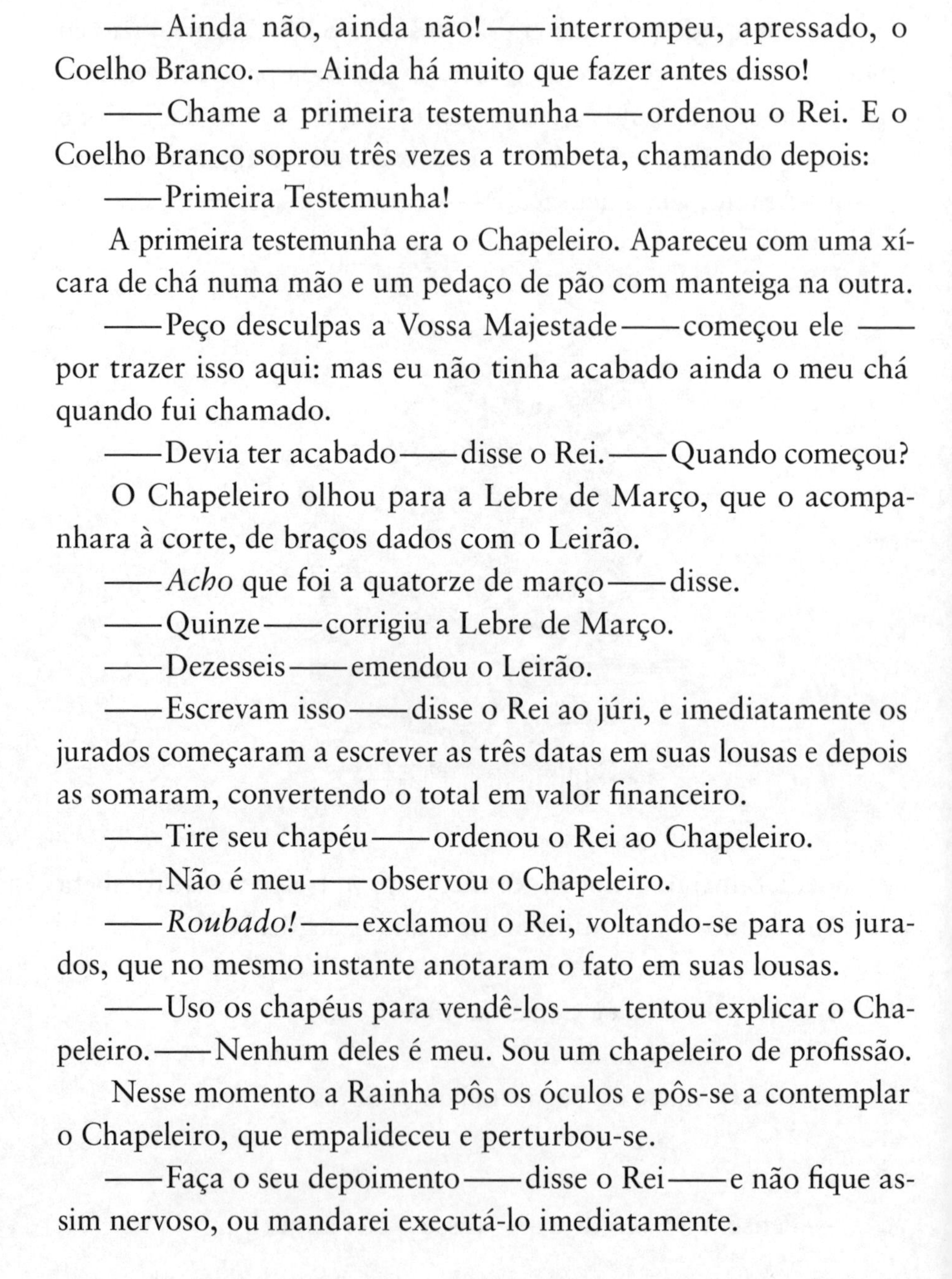

——Ainda não, ainda não!——interrompeu, apressado, o Coelho Branco.——Ainda há muito que fazer antes disso!

——Chame a primeira testemunha——ordenou o Rei. E o Coelho Branco soprou três vezes a trombeta, chamando depois:

——Primeira Testemunha!

A primeira testemunha era o Chapeleiro. Apareceu com uma xícara de chá numa mão e um pedaço de pão com manteiga na outra.

——Peço desculpas a Vossa Majestade——começou ele —— por trazer isso aqui: mas eu não tinha acabado ainda o meu chá quando fui chamado.

——Devia ter acabado——disse o Rei.——Quando começou?

O Chapeleiro olhou para a Lebre de Março, que o acompanhara à corte, de braços dados com o Leirão.

——*Acho* que foi a quatorze de março——disse.

——Quinze——corrigiu a Lebre de Março.

——Dezesseis——emendou o Leirão.

——Escrevam isso——disse o Rei ao júri, e imediatamente os jurados começaram a escrever as três datas em suas lousas e depois as somaram, convertendo o total em valor financeiro.

——Tire seu chapéu——ordenou o Rei ao Chapeleiro.

——Não é meu——observou o Chapeleiro.

——*Roubado!*——exclamou o Rei, voltando-se para os jurados, que no mesmo instante anotaram o fato em suas lousas.

——Uso os chapéus para vendê-los——tentou explicar o Chapeleiro.——Nenhum deles é meu. Sou um chapeleiro de profissão.

Nesse momento a Rainha pôs os óculos e pôs-se a contemplar o Chapeleiro, que empalideceu e perturbou-se.

——Faça o seu depoimento——disse o Rei——e não fique assim nervoso, ou mandarei executá-lo imediatamente.

Isso estava longe de encorajar a testemunha, que passou a trocar de pé, enquanto olhava com ar inquieto para a Rainha e, na sua confusão arrancou com uma mordida um grande pedaço da xícara de chá em vez do pão com manteiga.

Nesse exato momento Alice sentiu uma curiosa sensação, que a deixou intrigadíssima até perceber do que se tratava: a de que estava crescendo outra vez. Logo de imediato pensou em levantar-se e retirar-se da corte; mas, pensando melhor, resolveu ficar enquanto houvesse bastante espaço para ela.

——Gostaria que você não me espremesse tanto—reclamou o Leirão, que estava sentado junto dela.——Mal posso respirar.

——Não posso fazer nada——informou Alice pacientemente. ——Estou crescendo.

——Não tem direito. Isso aqui não é lugar pra você crescer ——protestou o Leirão.

——Não diga asneiras——disse Alice com mais ousadia. ——Você sabe que está crescendo também.

——Sim, mas cresço dentro de um ritmo razoável——disse o Leirão——e não dessa maneira ridícula.

Dizendo isso, levantou-se irritado e foi para o outro lado do tribunal.

Esse tempo todo a Rainha não parou de observar fixamente o Chapeleiro e, exatamente quando o Leirão atravessou a corte, ordenou para um dos funcionários:

——Traga-me a lista dos cantores do último concerto!

Ao ouvir isso, o desventurado Chapeleiro tremeu tanto que seus sapatos escorregaram dos pés.

——Faça o seu depoimento——repetiu o Rei encolerizado—— ou mandarei executá-lo, esteja você ou não sofrendo dos nervos.

——Sou um pobre homem, Majestade——começou o Chapeleiro com voz trêmula——, e nem tinha começado a tomar meu chá... há coisa de uma semana mais ou menos... e a fatia de pão que estava ficando tão fina... e a cintilação do chá...

——A cintilação do *quê*?——perguntou o Rei.

——Do chá. Bem, *começa* com o cegar...

——Sei muito bem que chá é com CH! Pensa que sou algum asno?——cortou o Rei em tom acerbo.——Continue!

——Sou um pobre homem——repetiu o Chapeleiro——e quase tudo pôs-se a cintilar depois... e aí a Lebre de Março disse...

——Eu não disse isso!——interrompeu a Lebre de Março apressadamente.

——Disse sim!——insistiu o Chapeleiro.

——Nego isso!——replicou a Lebre de Março.

——Se ela o nega——interpôs-se o Rei——, deixemos esse assunto de lado.

——Bem, de qualquer modo o Leirão também disse...——continuou o Chapeleiro, olhando em volta com ansiedade para ver se o Leirão também negava; mas este não negou nada, pois dormia a sono solto.

——Depois disso——prosseguiu o Chapeleiro——cortei mais uma fatia de pão...

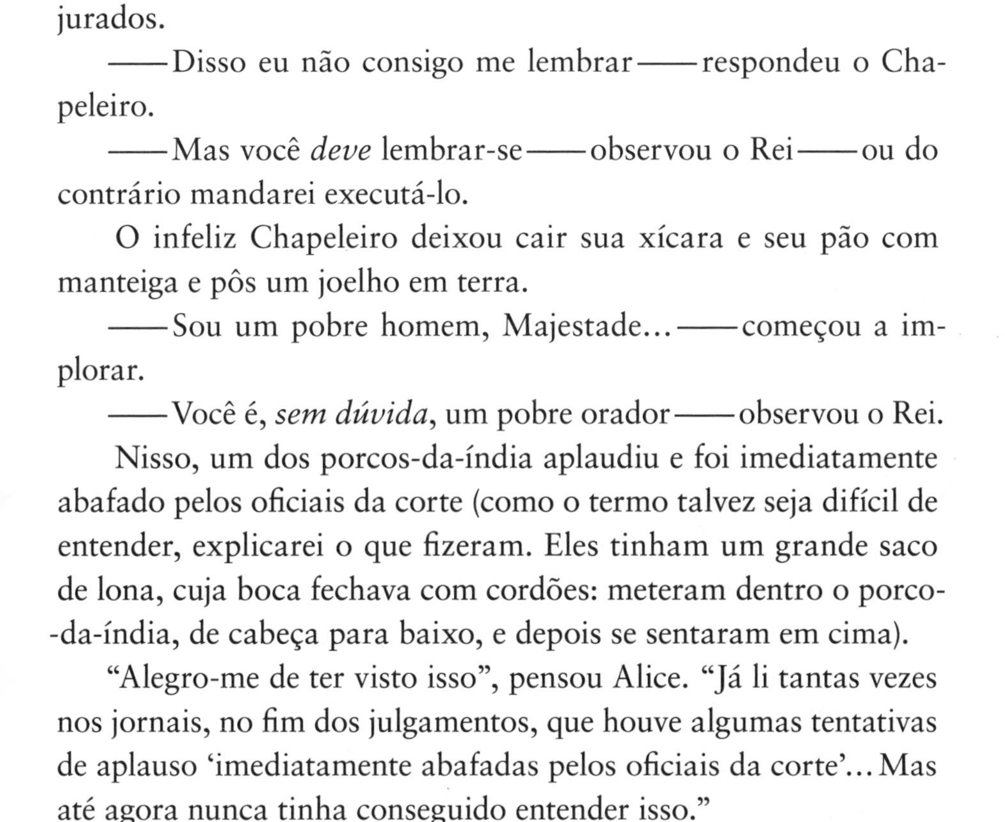

—Mas o que foi que o Leirão disse?—indagou um dos jurados.

—Disso eu não consigo me lembrar—respondeu o Chapeleiro.

—Mas você *deve* lembrar-se—observou o Rei—ou do contrário mandarei executá-lo.

O infeliz Chapeleiro deixou cair sua xícara e seu pão com manteiga e pôs um joelho em terra.

—Sou um pobre homem, Majestade...—começou a implorar.

—Você é, *sem dúvida*, um pobre orador—observou o Rei.

Nisso, um dos porcos-da-índia aplaudiu e foi imediatamente abafado pelos oficiais da corte (como o termo talvez seja difícil de entender, explicarei o que fizeram. Eles tinham um grande saco de lona, cuja boca fechava com cordões: meteram dentro o porco-da-índia, de cabeça para baixo, e depois se sentaram em cima).

"Alegro-me de ter visto isso", pensou Alice. "Já li tantas vezes nos jornais, no fim dos julgamentos, que houve algumas tentativas de aplauso 'imediatamente abafadas pelos oficiais da corte'... Mas até agora nunca tinha conseguido entender isso."

—Se é tudo o que você sabe a respeito do caso, pode descer—prosseguiu o Rei.

—Não posso descer mais—disse o Chapeleiro.—Já estou no chão nesse momento.

—Então pode *sentar-se*—replicou o Rei.

O outro porco-da-índia aplaudiu também, e foi abafado.

"Muito bem, com isso se acabam os porcos-da-índia!", pensou Alice. "Vamos ver se agora melhoram as coisas."

—Gostaria de acabar meu chá—disse o Chapeleiro,

olhando ansiosamente a Rainha, que estava lendo a lista dos cantores.

——Pode ir embora ——consentiu o Rei, e o Chapeleiro deixou a corte na maior pressa, sem calçar sequer os sapatos.

——E corte-lhe a cabeça lá fora——acrescentou a Rainha para um dos oficiais; mas o Chapeleiro sumira de vista antes que o oficial pudesse chegar à porta.

——Chamem a testemunha seguinte!——ordenou o Rei.

A testemunha seguinte era a cozinheira da Duquesa. Ela carregava a pimenteira na mão, e Alice adivinhou quem era antes de sua entrada na corte, pois as pessoas junto à porta começaram todas a espirrar ao mesmo tempo.

——Faça o seu depoimento——disse o Rei.

——Não, não faço——replicou a cozinheira.

O Rei olhou com ar inquieto para o Coelho Branco, que disse em voz baixa:

——É preciso que Vossa Majestade submeta *essa* testemunha a um duplo interrogatório.

——Está bem, se é preciso, é preciso—disse o Rei, com aspecto melancólico. E, após cruzar os braços e franzir as sobrancelhas até que seus olhos quase sumissem, perguntou em voz profunda: ——De que são feitas as tortas?

——De pimenta, principalmente——respondeu a cozinheira.

——De melado——contestou uma voz sonolenta atrás dela.

— Agarrem esse Leirão pela gola — gritou a Rainha com voz estridente. — Cortem-lhe a cabeça! Expulsem esse Leirão da corte! Abafem, sufoquem esse Leirão! Arranquem-lhe os bigodes!

Reinou a maior das confusões no tribunal, enquanto se expulsava o Leirão, e quando todos, enfim, retornaram aos seus lugares, a cozinheira tinha sumido.

— Não tem importância! — disse o Rei, aparentando um enorme alívio. — Chamem a testemunha seguinte! — e acrescentou à meia-voz, dirigindo-se à Rainha: — Realmente, minha cara, *você* é quem deve reinquirir a próxima testemunha. Isso já está me dando uma forte dor de cabeça!

Alice observou atentamente o Coelho Branco, enquanto este se atrapalhava todo com a lista das testemunhas, curiosíssima de saber de quem seria o depoimento seguinte, "pois *até agora*", disse consigo, "não conseguiram juntar muitas provas". Imaginem a surpresa dela quando o Coelho Branco leu, alteando a sua vozinha esganiçada, o nome "Alice"!

CAPÍTULO XII.

DEPOIMENTO DE ALICE.

——Presente!——gritou Alice, esquecendo-se totalmente, com a excitação do momento, o quanto tinha crescido nos últimos minutos: saltou com tal pressa que virou o banco do júri com a orla da sua saia, atirando os jurados em cima dos assistentes que estavam embaixo. Os jurados ficaram espalhados pelo chão, esperneando, e ela se lembrou muito do aquário de peixinhos dourados que tinha virado acidentalmente na semana anterior.

——Oh, *mil* perdões!——exclamou com grande consternação, e começou a levantá-los o mais rapidamente que podia, pois o acidente dos peixinhos ainda continuava presente em seu espírito, e ela tinha uma vaga ideia de que devia juntá-los todos e colocá-los de novo no banco do júri, senão morreriam.

——A audiência não poderá prosseguir——disse o Rei com inflexão muito grave——até que todos os jurados estejam de volta a seus lugares certos... *todos*——repetiu com grande ênfase, olhando severamente para Alice enquanto falava.

Alice olhou para o banco do júri e viu que, na sua precipitação, tinha colocado o Lagarto de cabeça para baixo, e o pobre-coitado agitava a cauda melancolicamente, incapaz de fazer qualquer coisa. Mais que depressa agarrou-o e virou-o de cabeça para cima. "Não que isso adiante muito", disse consigo, "pois acho que a sua utilidade na corte seria a *mesma*, de uma maneira ou de outra."

Assim que o júri se recuperou de tantas emoções, e que suas lousas e lápis lhes foram devolvidos, todos os jurados puseram mãos à obra, com grande aplicação, para relatarem a história do acidente. Todos, exceto o Lagarto, que parecia por demais traumatizado para fazer qualquer coisa, a não ser ficar de boca aberta com os olhos esgazeados e fixos no teto do tribunal.

—Que sabe você a respeito desse caso?—perguntou o Rei a Alice.

—Nada.

—*Absolutamente* nada?—insistiu o Rei.

—Absolutamente nada—confirmou Alice.

—Isso é extremamente importante—disse o Rei, voltando-se para o júri. Os jurados já iam se apressando a escrever isso em suas lousas, quando o Coelho Branco interrompeu:

—*Des*importante, é o que Vossa Majestade quer dizer, é claro—falava em tom de grande respeito, mas franzindo o sobrolho e fazendo caretas o tempo todo.

—*Des*importante, é claro, foi o que quis dizer—apressou-se o Rei a corrigir-se. E prosseguiu falando para si mesmo, à meia-voz: "Importante... desimportante... desimportante... importante...", como se procurasse ver qual das palavras soava melhor.

Alguns dos jurados escreveram "importante" e outros "desimportante". Alice podia ver isso, pois estava suficientemente perto para olhar por cima das suas lousas. "Mas isso não tem a menor importância", pensou consigo mesma. Nesse momento o Rei, que estivera muito ocupado em escrever algo em seu caderno de anotações, ordenou:

—Silêncio!—e leu o que estava escrito:—Artigo Quarenta e Dois: *Todas as pessoas com mais de um quilômetro e meio de altura devem abandonar o recinto do tribunal.*

Todos se viraram para Alice.

—Eu não tenho mais de um quilômetro e meio de altura — afirmou Alice.

—Tem sim—replicou o Rei.

—Tem quase três quilômetros—acrescentou a Rainha.

—Bom, de qualquer modo não vou-me embora, de jeito nenhum—desafiou Alice.—Além do mais, esse artigo não é legal: você acabou de inventá-lo.

—Pois é o mais antigo do Código—disse o Rei.

—Nesse caso, devia ser o Número Um—argumentou Alice.

O Rei empalideceu, apressando-se a fechar o seu caderno de notas.

—Façam o seu veredito—disse, em voz baixa e trêmula, voltando-se para o júri.

—Com licença de Vossa Majestade, ainda há provas a examinar—disse o Coelho Branco, levantando-se com grande precipitação.—Agora mesmo, esse documento acaba de ser descoberto.

—O que é que tem nele?—indagou a Rainha.

—Ainda não abri—disse o Coelho Branco — mas parece ser uma carta escrita pelo prisioneiro para... para alguém.

—Deve ser isso, sem dúvida—observou o Rei—, a menos que tenha sido escrita para ninguém, o que, como se sabe, não é muito comum.

—É endereçada a quem?—perguntou um dos jurados.

——Não está propriamente endereçada——explicou o Coelho Branco.——Na verdade, não há nada escrito *do lado de fora.*

E desdobrando o papel enquanto falava, acrescentou:

——No fim de contas, não é uma carta: é uma porção de versos.

——Foram escritos com a letra do prisioneiro?——perguntou outro membro do júri.

——Não, não foram——disse o Coelho Branco——, e isso é que é o mais estranho de tudo. (Todos os jurados pareciam perplexos.)

——Ele deve ter imitado a letra de outra pessoa——disse o Rei. (Ao ouvir isso, os rostos dos jurados se iluminaram de novo.)

——Com licença de Vossa Majestade——disse o Valete——, não fui eu quem escrevi isso, e ninguém pode provar que o fiz: não há nenhum nome assinado embaixo.

——Se você não assinou——disse o Rei——, isso apenas torna *pior* a situação. *Com certeza* você devia ter más intenções, ou teria assinado o seu nome como qualquer pessoa honesta.

Aplausos gerais saudaram a réplica do Rei: fora a primeira coisa inteligente que ele tinha dito naquele dia.

——Isso *prova* a sua culpa, é claro——disse a Rainha.——Portanto, cortem-lhe a...

——Isso não prova coisa nenhuma!——interferiu Alice. ——Ora, vocês nem mesmo sabem o que dizem os versos!

——Leia-os!——ordenou o Rei.

O Coelho Branco colocou os óculos e perguntou:

——Com licença de Vossa Majestade, devo começar por onde?

——Comece pelo começo——disse o Rei com ar muito grave——e continue até chegar ao fim: então pare.

Fez-se silêncio mortal na corte enquanto o Coelho Branco lia os seguintes versos:

Disseram-me que foste perto dela,
    Dando a ele o meu nome, sem pensar.
Ela viu-me um caráter sem mazela,
    Mas disse que eu não sei nadar.

Ele afirmou-lhes que não fui, enfim.
    (E isso, nós sabemos, é verdade.)
Porém, se ela quisesse ir ao fim
    Que seria de ti, saber quem há de?

Deram duas a ele; e a ela dei uma.
    E o que nos deste, três ou mais.
Todas voltaram, não faltou nenhuma:
    Mas se eram minhas, tanto faz.

Se fôssemos, eu e ela, por acaso,
    Envolvidos em tal questão,
Ele os libertaria, nesse caso,
    Como o fomos, por bem ou não.

O que penso era que tinhas sido
    (Antes dela dar seu estrilo).
Um súbito obstáculo surgido
    Entre ele, nós e aquilo.

Não o deixes ver que ela os tem amado.
    Deve ser isso, para sempre, pois,
Um segredo, aos demais ocultado
    Somente entre nós dois.

——É a prova mais importante que se revelou aqui—— disse o Rei, esfregando as mãos. —— E agora os jurados...

——Se algum deles é capaz de explicar os versos——interrompeu Alice (tinha crescido de tal forma nos últimos minutos que não tinha o menor medo de cortar a palavra ao Rei)——, eu lhe darei seis *pence*. Quanto a *mim*, acho que não há neles a menor partícula de sentido.

Os jurados escreveram em suas lousas: "*Ela* acha que não existe a menor partícula de sentido nos versos." Mas nenhum deles se animou a explicar o que fora lido.

—— Se não existe sentido neles —— disse o Rei ——, isso nos poupa um grande incômodo: não precisamos procurar nenhum sentido. E no entanto, não sei —— continuou, desdobrando o papel num joelho e olhando-o de viés ——, eu diria que existe algum sentido neles, no fim de contas. "... Mas disse que eu não sei nadar." Você não sabe nadar, sabe? —— acrescentou, voltando-se para o Valete.

O Valete abanou a cabeça tristemente:

—— Pareço alguém que sabe nadar? —— perguntou. (E certamente *não* parecia, sendo todo feito de papelão.)

—— Está bem, até agora —— disse o Rei e continuou a murmurar os versos para si mesmo e comentá-los —— "E isso, nós sabemos, é verdade", isso é o júri, é claro, "Porém, se ela quisesse ir ao fim", isso deve ser a Rainha, "Que seria de ti, saber quem há de?", o que, na verdade?, "Deram duas a ele; e a ela dei uma", ora, isso deve ser o que ele fez com as tortas, não acham?

—— Mas, e a continuação? "Todas voltaram, não faltou nenhuma" —— interrompeu Alice.

—— Exatamente, lá estão elas! —— disse o Rei com ar de triunfo, apontando para as tortas em cima da mesa. —— Nada pode ser mais claro do que *isso*. E depois vem "Antes dela dar seu estrilo." Você nunca deu estrilo algum, não é, minha cara? —— indagou ele, voltando-se para a Rainha.

—— Jamais! —— disse a Rainha furiosa, jogando um tinteiro em cima do Lagarto enquanto falava. (O infeliz Bill tinha parado de escrever na lousa com o dedo, ao ver que isso de nada adiantava; mas nesse momento pôs mãos à obra febrilmente, usando a tinta que lhe escorria pela cara, enquanto não secava.)

—— Então suas palavras têm muito *estilo* —— disse o Rei, olhando em volta da sala com um sorriso. Fez-se um silêncio mortal.

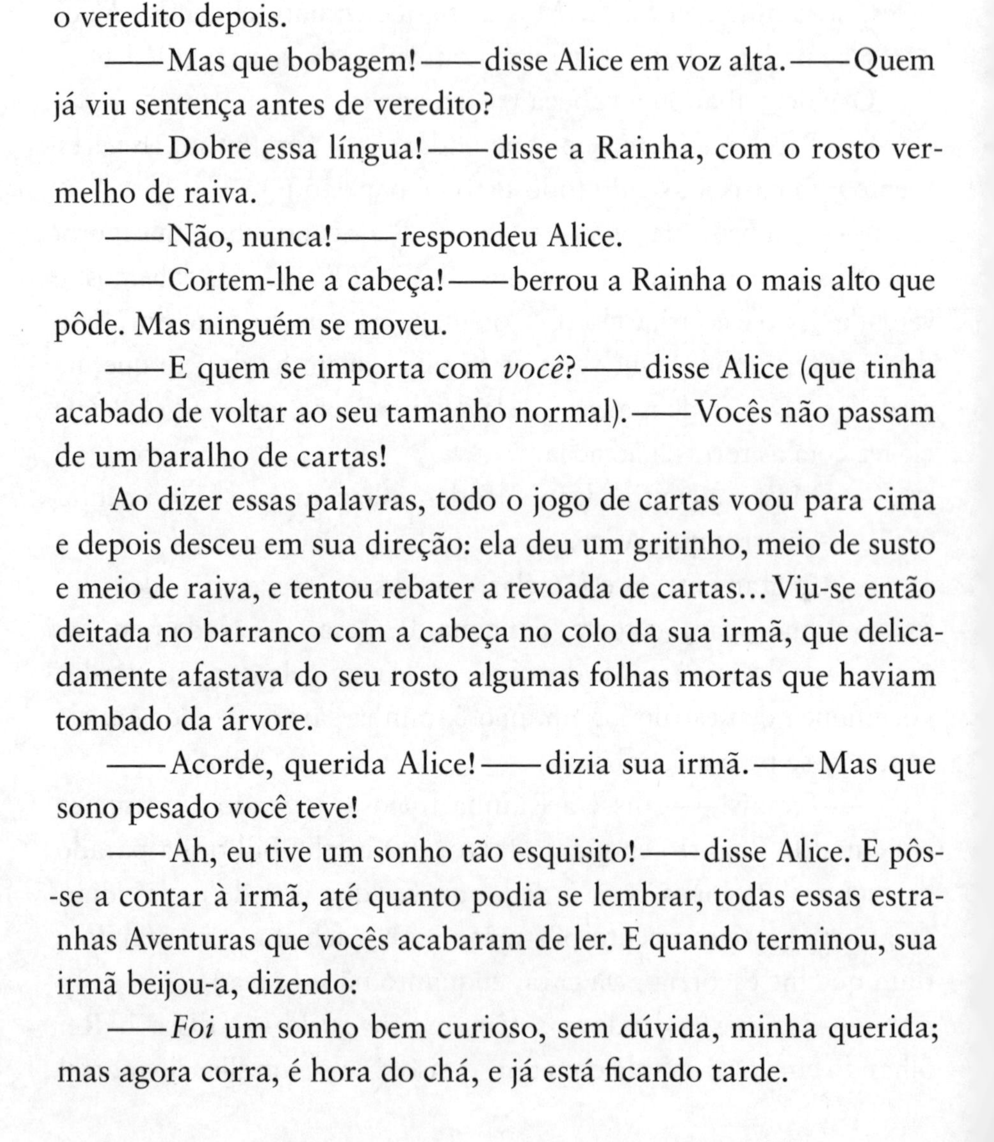

——É um trocadilho!——acrescentou o Rei iradamente, e toda a sala explodiu em risos.——Que os jurados deliberem o seu veredito——disse o Rei, mais ou menos pela vigésima vez naquele dia.

——Não, não!——gritou a Rainha.——Primeiro a sentença, o veredito depois.

——Mas que bobagem!——disse Alice em voz alta.——Quem já viu sentença antes de veredito?

——Dobre essa língua!——disse a Rainha, com o rosto vermelho de raiva.

——Não, nunca!——respondeu Alice.

——Cortem-lhe a cabeça!——berrou a Rainha o mais alto que pôde. Mas ninguém se moveu.

——E quem se importa com *você*?——disse Alice (que tinha acabado de voltar ao seu tamanho normal).——Vocês não passam de um baralho de cartas!

Ao dizer essas palavras, todo o jogo de cartas voou para cima e depois desceu em sua direção: ela deu um gritinho, meio de susto e meio de raiva, e tentou rebater a revoada de cartas... Viu-se então deitada no barranco com a cabeça no colo da sua irmã, que delicadamente afastava do seu rosto algumas folhas mortas que haviam tombado da árvore.

——Acorde, querida Alice!——dizia sua irmã.——Mas que sono pesado você teve!

——Ah, eu tive um sonho tão esquisito!——disse Alice. E pôs-se a contar à irmã, até quanto podia se lembrar, todas essas estranhas Aventuras que vocês acabaram de ler. E quando terminou, sua irmã beijou-a, dizendo:

——*Foi* um sonho bem curioso, sem dúvida, minha querida; mas agora corra, é hora do chá, e já está ficando tarde.

Alice levantou-se e saiu correndo, pensando, enquanto corria, que sonho maravilhoso tinha sido aquele.

Mas sua irmã ficou onde estava, com a cabeça apoiada na mão, contemplando o pôr do sol e pensando na pequena Alice e em todas as suas maravilhosas Aventuras. Até que ela mesma pôs-se a sonhar, a seu modo, e este foi o seu sonho:

Sonhou primeiro com a própria pequena Alice; outra vez suas mãos estavam pousadas sobre os joelhos e seus olhos brilhantes e vivos a fixavam; podia ouvir até as inflexões de sua voz e notar aquele breve gesto de atirar a cabeça para trás, afastando as mechas de cabelos que teimavam *sempre* em lhe cair sobre os olhos... E enquanto escutava, ou pensava escutar, todo o espaço em torno dela tornava-se povoado das estranhas criaturas do sonho de sua irmãzinha.

A relva farfalhava sob os pés dela enquanto o Coelho Branco corria apressado... o Rato assustado espalhava água à sua passagem através da lagoa ali perto... ela podia ouvir o tinir das xícaras de chá enquanto a Lebre de Março e seus amigos partilhavam a sua interminável ceia... e a voz aguda da Rainha ordenando a execução dos seus infelizes convidados... outra vez o bebê-porco espirrava no colo da Duquesa, enquanto pratos e travessas se espatifavam em volta... e mais uma vez o guincho do Grifo, o ranger do giz do Lagarto, os aplausos sufocados dos porcos-da-índia encheram o ar, confundidos com os soluços longínquos da desgraçada Falsa Tartaruga.

Ali sentada, com os olhos fechados, quase acreditava estar ela mesma no País das Maravilhas, embora soubesse que bastava abrir os olhos outra vez e tudo se transformaria na enfadonha realidade em volta... O farfalhar da relva se deveria apenas ao sopro do vento, e a agitação da lagoa ao ondular dos juncos... o tilintar das xícaras de chá se transformaria no tinido dos cincerros dos carneiros pastando, e os gritos estridentes da Rainha no brado do pastor... o espirro do bebê, o guincho do Grifo e outros ruídos estranhos se transformariam (ela o sabia) no confuso rumor das atividades campestres... assim como o mugir do gado à distância tomaria o lugar dos pesados soluços da Falsa Tartaruga. Finalmente, imaginou a sua irmãzinha já transformada, no futuro, numa mulher adulta; e como ela conservaria, através dos anos maduros, o coração simples e afetuoso da época de sua infância. Viu-a cercada de outras crianças, fazendo os seus olhos brilharem enquanto lhes contava curiosas estórias, talvez até mesmo o sonho do País das Maravilhas de há muito tempo atrás: e como ela partilharia as suas tristezas e alegrias ingênuas, lembrando-se da sua própria infância e dos felizes dias de verão já passados.

FIM.

O QUE A TARTARUGA DISSE A LEWIS CARROLL.

SEBASTIÃO UCHOA LEITE.

As imagens às páginas 143, 152 e 167 provêm de *Alice's Adventures Under Ground*, primeira versão das *Aventuras de Alice no País das Maravilhas*, caligrafada e ilustrada pelo próprio Lewis Carroll e oferecida à jovem Alice Liddell em novembro de 1864. O original é conservado em Londres pela British Library.

MITOS.

Lewis Carroll carrega até hoje o fardo de ser considerado autor de literatura infantil. A maioria só ouviu falar de *Alice no País das Maravilhas*, que vagamente leu na infância em adaptações. Alguns poucos leram também *Através do espelho*, e ficaram por aí.

Sequer se poderá dizer, no entanto, que Carroll era um aficcionado de crianças em geral. Gostava, isto sim, de meninas (e detestava meninos, tendo dito certa vez, numa fórmula bem carrolliana segundo Henri Parisot,[1] que "adorava crianças, exceto meninos"), em geral entre os oito e doze anos de idade. Isso forma um quadro psicológico a ser apreendido na leitura das biografias de Charles Lutwidge Dodgson (nome verdadeiro de Carroll), inclusive a mais citada de todas, a de Florence Becker Lennon.[2] Que os dois livros mais celebrados de Carroll, *Alice in Wonderland* e *Through the Looking-Glass*, sejam livros para crianças, é verdade muito relativa. Na época, talvez. Hoje, mais de um século depois que foram publicados, são cada vez mais leitura para adultos. Também se foi compreendendo que não são apenas caprichosas fantasias. Pois não há nada por trás dos enredos e personagens desses dois livros que não esteja rigorosamente referenciado, seja através de dados da própria existência de Carroll, seja através de inúmeras alusões literárias, científicas, lógico-matemáticas, etc. Deve-se a Martin Gardner[3] a melhor leitura referencial de Carroll, com um levantamento sistemático senão completo, pelo menos bastante abrangente.

O próprio Gardner advertiu para as suas restrições metódicas, tendo evitado dois tipos de nota: as exegeses alegóricas e psicanalíticas. Os livros de Alice, diz Gardner,[4] são suscetíveis de interpretações simbólicas como quaisquer outros. Mas algumas dessas decifrações são tão óbvias que qualquer leitor esclarecido poderá fazê-las. Desse tipo são as leituras psicanalíticas, enquanto as de caráter alegórico podem levar a resultados pouco convincentes, como é o caso do ensaio de Shane Leslie,[5] "Lewis Carroll and the Oxford Movement", decodificando os livros de Alice como alegoria das controvérsias político-religiosas dos começos da época vitoriana. A interpretação alegórica traz sempre a suposição de uma intencionalidade carrolliana. O risco do erro é evidente quando essa intencionalidade não é comprovada por referências concretas, ao invés de ficar no terreno das suposições.

Tudo pode ser suposto, quando se parte do princípio do sentido oculto das representações. Na descrição que A. L. Taylor[6] faz da tese de Leslie, explicando os livros de Alice como uma "história secreta do Oxford Movement", não só há uma identificação dos personagens com os atuantes ou com figuras simbólicas daquela controvérsia, mas até os próprios movimentos do jogo de xadrez em *Through the Looking-Glass* têm sentido alegórico. Pareceria razoável, se as reduções (Humpty Dumpty, por exemplo, representando a Inspiração Verbal ou a Ortodoxia Protestante) não dessem a impressão de um esquema mecânico: é razoável supor que Carroll, no seu processo criador, tenha se inspirado em figurações desse tipo, mas não que a isso se reduza o sentido dos seus livros. Também pareceria razoável, se não fosse igualmente redutora, explicar a relação de Alice com as rainhas castradoras (Rainha de Copas e Rainha Vermelha) como "inversão de papéis" (referência ao conflito edípico não resolvido) ou assinalar uma inversão funcional na caracterização dos personagens masculinos e femininos (as rainhas ativas e belicosas, os reis passivos

quite dull and stupid for things to go on in the common way.

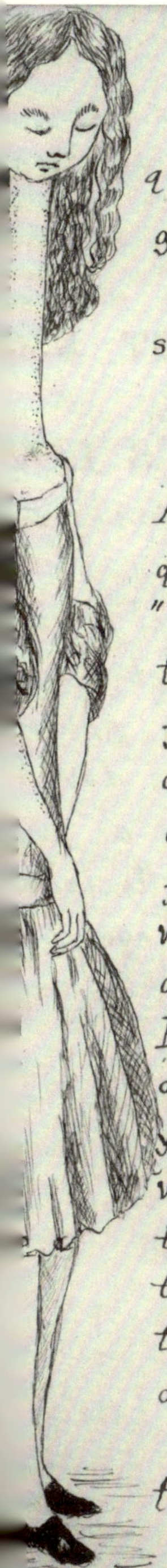

So she set to work, and very soon finished off the cake.

* * * * *

"Curiouser and curiouser!" cried Alice, (she was so surprised that she quite forgot how to speak good English,) "now I'm opening out like the largest telescope that ever was! Goodbye, feet!" (for when she looked down at her feet, they seemed almost out of sight, they were getting so far off,) "oh, my poor little feet, I wonder who will put on your shoes and stockings for you now, dears? I'm sure I can't! I shall be a great deal too far off to bother myself about you: you must manage the best way you can — but I must be kind to them", thought Alice, "or perhaps they won't walk the way I want to go! Let me see: I'll give them a new pair of boots every Christmas."

And she went on planning to herself how she would manage it:

e moderados), etc. Tais os princípios da leitura psicanalítica de Phyllis Greenacre.[7] Já ao nível dos ícones verbais, Greenacre vê no nome de Alice uma imagem fonética das iniciais de Lewis Carroll. Do mesmo modo, as meninas no fundo do poço da história do Leirão se chamam Elsie, Lacie e Tillie, evidentes anagramas fonéticos de L.C. e Alice, nos dois primeiros nomes. Fica só em esboço essa curiosa trilha semiótica. Na verdade, as leituras alegórica e psicanalítica são opostas e complementares por inversão: uma reduz tudo à total intencionalidade objetiva, e outra, à total inconsciência das representações poéticas.

Na leitura das obras de Carroll deve-se evitar essa aura de mitificação que as envolve: primeiro, a leitura ingênua que supõe serem arbitrárias as incríveis fantasias dos livros de Alice, como parecem (mas só *parecem*) os contos de fadas (na verdade os significados latentes desses contos são produtos míticos, nos quais se podem surpreender as *invariantes* numa análise de tipo estrutural, enquanto os significados das estórias de Alice têm referencialidade histórica, com uma participação consciente decisiva do autor); e segundo, a leitura superinterpretativa do texto, impondo-se uma decodificação mecanicista que supõe ou uma intencionalidade total (interpretação alegórica, como a de Shane Leslie) ou uma subjetividade total (interpretação psicanalítica, como a de Phyllis Greenacre).

O SISTEMA DE REFERÊNCIAS.

A terceira hipótese de leitura não ingênua das fantasias carrollianas é a leitura das referências concretas do texto, uma opção só aparentemente limitada, pois se abre um complexo leque de alusões nos mais diversos níveis, dos mais banais (contexto biográfico) aos de maior densidade conceitual (discussões lógico-semânticas). Claro que tal método, antifilosófico, corre o risco ou da redundância (alusões superdecodificadas) ou das hipóteses não comprováveis (a não ser — e mesmo assim é incerto — recorrendo-se a fontes fora do texto). Mas tal método, que teve a sua expressão mais cabal no livro de Martin Gardner, *The Annotated Alice*, é só um método de leitura, que pode supor interpretações variáveis. Deve ser adotada como princípio metódico, uma tábula rasa inicial, aceitando-se a interpretação apenas a partir de dados concretos oferecidos pelo texto.

Seria interessante deter-se num ponto que não só o próprio Gardner, mas inúmeros críticos de Carroll insistiram em sublinhar: os dois livros mais conhecidos de Carroll, *Alice in Wonderland* e *Through the Looking-Glass* formam, na verdade, uma obra só, tais os paralelismos de estrutura narrativa. Entre ambos, a distância de seis anos na publicação: *Wonderland* é de 1865 e *Looking-Glass* é de 1871; cinco anos depois, publica-se o também célebre poema *The Hunting of the Snark*, em 1876. Nessas três obras, a trilogia preciosa do *nonsense* carrolliano percorre um mesmo *feeling* e um igual sistema de referências, além das mesmas técnicas de duplo sentido, uso de *portmanteaux* (palavras-valise, em que duas formam uma terceira, como *snark*, formada de *snake* [serpente] e *shark* [tubarão]), alusões paródicas, etc. Essas mesmas técnicas recorrem numa obra muito posterior, o extenso romance *Sylvie and Bruno*, publicado em duas partes, mas aí entremeando-se os lances de *nonsense* com uma narrativa anfíbia, ora de caráter realista, ora de caráter fantástico.

Voltando à unidade entre as duas estórias de Alice, é fácil observar numa leitura atenta que há um sistema de referências cruzadas entre as duas obras, e o estudo desse sistema poderia resultar numa análise da estrutura dessas narrativas (o que não está nas intenções desta introdução). Sem a pretensão de enumeração exaustiva, podem-se alinhar algumas analogias tópicas na composição das duas narrativas:

PAÍS DAS MARAVILHAS.	ATRAVÉS DO ESPELHO.
Alice *entra na toca* do coelho (CAP. 1)	Alice *atravessa o espelho* (CAP. 1)
Alice *conversa com os bichos* (CAP. 2 E CAP. 3)	Alice *conversa com as flores* (CAP. 2)
Alice discute com a lagarta que está *em cima de um cogumelo* (CAP. 5)	Alice discute com Humpty Dumpty que está *em cima de um muro* (CAP. 6)
Alice encontra e *desafia a Rainha de Copas no jogo* (CAP. 7)	Alice encontra e *contradiz a Rainha Vermelha no diálogo* (CAP. 2)
Alice *duvida da sua identidade* (CAP. 2 E CAP. 5)	Alice *perde a sua identidade* no bosque (CAP. 3)
Alice *pergunta pela direção* a tomar (FIM DO CAP. 6)	Alice *busca uma direção* a tomar (FIM DO CAP. 3)
Alice reencontra e *torna a desafiar* a Rainha de Copas no tribunal (CAP. 12)	Alice reencontra e *torna a contradizer* a Rainha vermelha no banquete (CAP. 9)
Alice *desperta no colo da irmã*, numa confusão final, e rememora o sonho (CAP. 12)	Alice *desperta com a gatinha no colo*, numa confusão final, e rememora o sonho (CAP. 12)
O sonho é explicado pela realidade—*a irmã sonha o sonho de Alice* (CAP. 12)	O sonho é explicado pela realidade—*Alice conversa com a gatinha Kitty* (CAP. 12)

Além dessas constantes que recorrem nos dois textos (e aqui são dados exemplos só ao acaso), e que em alguns casos se caracterizam como *invariantes* no sentido estrito (entrar na toca/atravessar o espelho, por exemplo, são tópicos que preenchem funções idênticas: a função de rito de passagem entre dois universos, o real e o não real), em muitos pontos de *Wonderland* e *Looking-Glass* se encontram analogias e recorrências. Por exemplo, enquanto os poemas fora da narrativa (introdutório em *Wonderland* e introdutório e final em *Looking-Glass*) têm função rememorativa e sentimental, e são nesse sentido poemas "normais" da lírica vitoriana, os poemas integrados nas narrativas, quando não são *nursery rhymes* ou poemas infantis tradicionais, têm função claramente paródica, são imitações burlescas de conhecidos poemas líricos ingleses. Outra constante são as discussões de caráter lógico-semântico nos dois livros: em *Wonderland* Alice discute com a Lagarta (em inglês, *Caterpillar* é masculino), com a Duquesa, com o Gato de Cheshire, com o Chapeleiro e a Lebre de Março (em inglês, *March Hare* é masculino), com a Rainha, etc.; em *Looking-Glass* ela discute com Tweedledum e Tweedledee, com Humpty Dumpty, com o Cavaleiro Branco, com as duas Rainhas, etc. Os temas dessas discussões recorrem nos dois livros: são problemas de identidade, questões relativas ao sentido das palavras, problemas dos nomes, proposições de caráter lógico, etc. Há também, entre os livros, curiosas recorrências ocultas: os personagens Hatter (o Chapeleiro) e March Hare (Lebre de Março) aparecem como os mensageiros do Rei Branco, Haigha e Hatta, em "O Leão e o Unicórnio", pela proximidade das pronúncias de Hare e Hatter (e são bem caracterizados por John Tenniel nas ilustrações); o Lacaio-rã que guarda a porta da Duquesa em *Wonderland*, reaparece disfarçadamente como a Rã que se aproxima de Alice diante da porta do palácio em *Looking-Glass*; o tema sonho-dentro-do-sonho que aparece no começo (Alice sonhando com Dinah dentro do poço) e no fim (a irmã sonhando o sonho de Alice) de *Wonderland* reaparece (com maior complexidade, observa M. Gardner) em "Tweedledum e Tweedledee" em *Looking-Glass*, e assim por diante. Internamente, em cada um dos livros, há também recorrências. Por exemplo: o Rei Branco refere-se ao Bandersnatch (o Babassurra), que por sua vez é referido no poema "Jabberwocky" ("Jaguadarte", na tradução de Augusto de Campos) no início do livro. E, finalmente, seria curioso assinalar que essas recorrências surgem também entre os livros de Alice e outras obras de Carroll: no longo poema *The Hunting of the Snark* há referências a termos do "Jabberwocky" (e por sua vez o monstro Snark não é uma evocação do Jabberwocky?); em *Wonderland* o bebê que espirra se transforma num porco, e em *Sylvie and Bruno* o personagem Uggug se transforma num porco-espinho monstruoso. Todos esses exemplos, aqui e ali referidos pelos comentadores de Carroll, seriam suficientes para detectar um complexo sistema de referências, que aqui é apenas sugerido.

A título de curiosidade, seria possível sugerir um sistema mais complexo de recorrências por *oposição* ou *inversão*. Pode-se assinalar algumas entre os dois livros de Alice:

PAÍS DAS MARAVILHAS.	ATRAVÉS DO ESPELHO.
Verão (Alice sente calor)	Inverno (a janela fechada)
Espaço aberto (campina)	Espaço fechado (sala)
Verticalidade-profundidade (descida no poço)	Horizontalidade-superfície (travessia do espelho)
Autoridade descontrolada (Rainha de Copas)	Autoridade controlada (Rainha Vermelha)
Nonsense desvairado (o Chapeleiro, a Lebre de Março, a Falsa Tartaruga, o Grifo)	*Nonsense* lógico-irônico (Tweedledum e Tweedledee, Humpty Dumpty)
Convulsão final passiva (Alice é atacada pelas cartas em revoo)	Convulsão final ativa (Alice puxa a toalha da mesa)

O tema da inversão, básico para a leitura de Carroll, é referido por vários dos seus comentadores, sobretudo por M. Gardner e Jean Gattégno,[8] este último ao tratar do problema da disjunção temática em *Sylvie and Bruno*. Em *Looking-Glass*, como se sabe, a inversão é o próprio tema. Carroll lembra com frequência a oposição básica, especular, entre dois universos: Alice anda no sentido inverso para encontrar a Rainha Vermelha; Alice e a Rainha correm o máximo para ficar no mesmo lugar; a Rainha oferece biscoitos secos para matar a sede de Alice; a Rainha Branca grita de dor *antes* de se picar no dedo; o mensageiro Hatta cumpre a sentença antes do julgamento; o mensageiro Haigha grita no ouvido do Rei Branco para contar um segredo; a torta tem que ser dividida antes de ser cortada, etc. A isso se acrescenta, no plano mais geral, a intuição de Carroll em aproximar o tema do espelho e do jogo de xadrez, jogo de inversão especular (a dama branca na casa preta, e a dama preta na casa branca; os reis ocupam posições inversas, à esquerda ou à direita da dama, conforme a posição dos jogadores). No comentário sobre a inversão em Carroll, Gardner lembra as recorrências em *Wonderland* (inversão de proposições como "rats eat bats" e "bats eat rats"; Alice come o lado esquerdo do cogumelo e cresce; come o lado direito e diminui; etc.) ou em *Sylvie and Bruno* (o "imponderal", princípio de antigravidade que inverte o peso das coisas; um relógio que reverte o correr do tempo, etc.). Pode-se inferir disso tudo que o princípio de inversão é axial no sistema de referências de Carroll, recorrendo obrigatoriamente em qualquer descrição ou análise sistemática da sua obra.

Para situar-se nesse universo de referências, as anotações de Gardner à margem dos textos de Alice (sobretudo em *Through the Looking-Glass*) constituem orientação básica pela estrita adesão das notas às sugestões do texto, com extrapolações casuais, referidas a um contexto histórico-científico.

Estas últimas nos informam sobre o alcance mais global da obra, com observações como: a descida no poço em *Wonderland* referida às especulações sobre a travessia até o centro da terra e à teoria de Galileu sobre a relação entre velocidade/aceleração; os crescimentos e diminuições de Alice referidos a teorias cosmológicas sobre o universo em expansão, e à hipótese (do matemático Edmund Whittaker) de que Carroll teria sugerido também um universo em diminuição constante, que desapareceria no nada; a indagação de Alice sobre o leite do espelho referida à constatação, na estereoquímica, de que as substâncias orgânicas têm arranjos assimétricos de átomos e as especulações sobre a antimatéria (do outro lado do espelho só uma anti-Alice poderia beber o antileite do espelho); o sonho do Rei Vermelho com Alice que sonha o sonho do Rei Vermelho referido às teorias do filósofo Berkeley de que os objetos reais são "espécies de coisas" na mente divina; o discurso de Humpty Dumpty sobre as palavras referido às teorias nominalistas sobre os universais, retomadas pelos empiristas-lógicos modernos; a discussão do Cavaleiro Branco sobre o nome do nome da canção referida às discussões modernas sobre a metalinguagem, e assim por diante.

É evidente que tais especulações ficam num plano hipotético de discussão intelectual, mas se verá depois como esse ângulo é importante para a compreensão de Carroll. Menos hipotética é a comprovação das alusões históricas dos textos de Alice, e sobretudo das alusões literárias. Este é o caso das canções inseridas nos textos. Ainda citando Gardner, em artigo incluído numa coletânea de Edward Guiliano,[9] dos 24 poemas dos textos de Alice, dez são paródias de poemas e canções inglesas bem conhecidas na época; quatro são *nursery rhymes*; cinco não são paródias (os dois poemas introdutórios e o final do segundo livro, o poema-charada sobre o peixe e o prato e o poema-rabo da história do rato); quatro outros, incluindo-se o

"Jabberwocky", poderiam/não poderiam ser paródias. A propósito, Gardner cita Dwight Macdonald,[10] que rejeita o título de paródias aos poemas das Alices, observando que está neles ausente o elemento de crítica literária. O próprio Gardner vai além, achando que Carroll, temperamento conservador, estaria provavelmente "em acordo total com os sentimentos" piedosos e moralizantes dos poemas originais. Assim, segundo Macdonald e Gardner, esses poemas seriam meramente poemas burlescos e não paródicos. Tal hipótese é falha por ligar as produções poéticas de Carroll a elementos biográficos, o que contradiz o próprio método de Gardner. Pode-se acrescentar ainda que o conservadorismo de Carroll é ponto discutível de uma personalidade literária ambivalente.

Na verdade, quem se der ao trabalho de comparar os poemas burlescos de Carroll com os poemas imitados originais não poderá deixar de observar o efeito cômico da distorção de imagens lânguidas em puro *nonsense.* E se a paródia não é uma metáfora caricata da metáfora original, então como defini-la? O problema de saber se Carroll simpatizava ou não com as suas "vítimas", entre eles poetas menores como Jane Taylor, Isaac Watts e Thomas Hood, ou nomes mais conhecidos como Robert Southey, Walter Scott e até William Wordsworth—este é um detalhe menor, biográfico. O que importa assinalar aqui é o quanto a fantasia carrolliana está presa a um universo de referências, inclusive as literárias, sendo, nesse último aspecto, tão metaliterária quanto inúmeras passagens dessa épica paródica que foi o *Ulysses* de James Joyce. Também os personagens carrollianos são, em grande parte, referenciados, seja a poemas infantis e contos da tradição popular, seja a expressões e costumes locais. Por exemplo: o Gato de Cheshire refere-se à expressão "Grin like a Cheshire cat" ("Arreganhar os dentes como um gato de Cheshire"), e provavelmente ao fato de que os queijos do condado de Cheshire

(onde Carroll nasceu) tinham a forma de um gato sorridente; a Lebre de Março refere-se à expressão "As mad as a march hare", que vem do fato de ser março o mês do cio em que as lebres ficam excitadas; o Chapeleiro é louco por causa do mercúrio, uma substância alucinógena que se usa na fabricação dos chapéus; o Leirão dorme muito porque esse animal hiberna durante o inverno; a Falsa Tartaruga refere-se à sopa de falsa tartaruga, feita de carne de vitela; Humpty Dumpty, assim como os irmãos Tweedledum e Tweedledee são personagens de *nursery rhymes* e contos tradicionais; o Leão e o Unicórnio, que também constam de uma *nursery rhyme*, correspondem aos símbolos dos brasões da Inglaterra e da Escócia, em luta pela coroa na unificação do reino, e assim por diante.

A lista das referências na obra de Carroll poderia se estender muito mais, e se veria como muitas expressões de *nonsense* referem-se a expressões correntes na sociedade inglesa (por exemplo, a moral da Duquesa "Take care of the *sense*, and the *sounds* will take care of themselves" ["Cuide do sentido e os sons cuidarão de si mesmos"] refere-se ao provérbio "Take care of the *pence* and the *pounds* will take care of themselves", com a troca apenas de uma letra, de p por s), ou a fatos históricos e em alguns casos biográficos (o Dodô sendo o próprio Dodgson, que era gago e se apresentava como Do-do-g-son). Disso tudo, pode-se concluir o óbvio. Os textos de *Alice in Wonderland* e *Through the Looking-Glass* parecendo, a uma visão superficial, fantasias arbitrárias, são na verdade referenciados a uma realidade vivida ou pensada pelo autor, desde o plano concreto da realidade biográfica, histórica, linguística, etc., até o plano mais abstrato das discussões científicas e das especulações lógico-semânticas.

Isso nos leva à conclusão de que as estórias de Alice não podem ser incluídas na mesma série em que se encontram as fábulas e os contos de fadas infantis. Enquanto o estudo dessas produções tem de ser algo análogo ao estudo dos mitos, isto é, um estudo das invariantes que remetem a uma estrutura da narrativa (ou seja, as fábulas e contos de fadas repetem esquemas e protótipos, variando apenas as estórias), o estudo de Carroll tem de levar em conta as interferências da série histórica na narrativa.

As fábulas e os contos de fadas tiveram origem na tradição oral, como os mitos primitivos. As estórias de Alice só poderiam ser concebidas na segunda metade do século XIX, mais precisamente, na Inglaterra vitoriana. É certo que Carroll lançou mão desses protótipos (com certeza para criar redundâncias e atrair seu público infantil): nas estórias de Alice os animais falam e aparecem reis e rainhas. Além disso, as narrativas parecem suspensas, sem uma cronologia definida. Mas o elemento histórico nas Alices não surge na narrativa, e sim através de alusões e referências, muitas vezes burlescas (como no poema "Sentado sobre uma porteira", que parodia tematicamente o poema "Resolution and Independence" de Wordsworth), prontamente identificáveis para qualquer inglês vitoriano, mesmo para as crianças.

As estórias de Carroll estão, pois, inscritas num circuito fechado de referências (histórico-linguísticas), e em muitos pontos necessitam de uma decodificação para uma perfeita compreensão do que dizem e que sentido têm suas alusões. Podem, é claro, ser lidas hedonisticamente, pelo prazer do *nonsense*. Mas não podem ser interpretadas aleatoriamente, levantando-se hipóteses alegóricas ou metafóricas, sem decodificação precisa. A não ser por exercício consciente de fantasia crítica sobre uma fantasia ficcional. A tendência para atribuir gratuidade aleatória a essas fantasias conduziu a outro erro crítico que é o de identificar a criação carrolliana com os processos de criação surrealista, como se Carroll fosse um pré-surrealista. É bem verdade que se pode fruir hedonisticamente os inventivos desenhos de Max Ernst para a edição francesa[11] das indagações lógicas de Carroll. Fundamentalmente, contudo, os processos carrollianos são até o contrário de todo o processo surrealista. Sem falar que a *écriture automatique* com certeza o horrorizaria (a ele, que vivia numa busca obsessiva de sistemas e decodificações), a ideia mais geral de criação onírica está no polo oposto das fantasias carrollianas. Nelas, de certa maneira, o sonho é exorcizado pela realidade. Há uma fronteira precisa entre os dois universos, e para passar de um para o outro é preciso submeter-se a um rito, entrar numa toca e cair num poço ou atravessar o espelho. Já em *Sylvie and Bruno*, livro bem posterior às Alices, os dois universos (ou as duas séries), o real e o fantástico, se interligam por pequenas frases, elementos conectivos que se aparentam à *madeleine* proustiana, quando o narrador passa do presente ao passado, "à la recherche du temps perdu". O estudo de tais conexões é essencial na leitura de Carroll, pois assim os sonhos, só aparentemente aleatórios, transformam-se em função de uma realidade e de um contexto. Deixam de ser apenas sonhos, para se transformarem em metassonho.

ALICE DESNUDADA POR SEUS COMENTADORES.

Carroll foi um criador de difícil classificação. Não escreveu uma "grande obra", no sentido de Shakespeare; nenhum "grande romance", no sentido de Thomas Hardy ou Henry James; sequer foi um "grande poeta", no sentido tradicional, pois quando escreveu poemas "sérios" foi quase sempre enfadonho ou no máximo competente dentro dos padrões vitorianos; o que nos interessa hoje são os seus poemas não sérios, inclusive *The Hunting of the Snark*, jocosamente subintitulado "An Agony in Eight Fits" ("Uma agonia em oito crises"). É difícil, pois, explicar como esse não grande escritor tem exercido um fascínio cada vez maior em outros criadores, em críticos, em filósofos, matemáticos e lógicos.

Das obras de Carroll são os dois livros de Alice, *Alice in Wonderland* e *Through the Looking-Glass*, os que têm exercido maior fascínio para os comentadores, seguidos, em escala muito menor, pelo poema *The Hunting of the Snark*. Numa escala ainda mais reduzida, nas citações e comentários, encontra-se o extenso romance *Sylvie and Bruno* (1ª parte, 1889; 2ª parte, 1893), simbiose de narrativa realista e de narrativa fantástica, em intercâmbio permanente. As outras obras de criação de Carroll, *Phantasmagoria and other Poems* (1869), *Rhyme? and Reason?* (1883), *A Tangled Tale* (1885) e outras menores, são citadas apenas ocasionalmente, por especialistas. Ainda mais restrito é o círculo de comentadores que se referem às suas obras de matemática e lógica, entre as quais *Euclid and his Modern Rivals* (1879), publicada com o seu nome real, C.L. Dodgson, e *Symbolic Logic. Part 1* (1896), publicado com o nome de L. Carroll. Entretanto, firma-se cada vez mais uma corrente de comentadores que consideram não ser possível um entendimento perfeito do sistema de referências carrolliano sem que se tenha uma noção aproximada, pelo menos, dos seus interesses na área científica, sobretudo na área das indagações lógicas. Pois o conteúdo de superfície dos livros de Alice é repleto de relações lúdico-lógicas (e o próprio Carroll escreveu um livro paradidático chamado *The Game of Logic*, que precede a sua *Symbolic Logic*). Não se pense, com isso, que os livros de Alice preenchem qualquer função didática. Antes lançam problemas, são na verdade *puzzles* desnorteantes para os comentadores que neles se aprofundam.

De certo modo, o *puzzle* das Alices e do Snark transformou-se no enigma Carroll. Daí que sejam numerosos os estudos biográficos e, estritamente relacionadas com a abordagem biográfica, as interpretações psicanalíticas. É bastante ler algumas dessas interpretações freudianas, a mais famosa sendo a de Phyllis Greenacre, para se chegar à conclusão de que, por mais interessantes que sejam como subsídios para compreensão da personalidade de Carroll (e a própria Phyllis Greenacre fornece um roteiro fascinante do caráter obsessivo de Carroll através dos seus escritos), elas giram num círculo tautológico, que é o da pura hermenêutica psicanalítica.

Seus autores estão preocupados com uma interpretação ao nível dos símbolos, tirando em geral conclusões sobre o caráter destrutivo dessas obras. Alguns desses símbolos adquiriram tal caráter de evidência, como por exemplo a identificação entre menina-falo (uma "equação simbólica" para Martin Grotjahn),[12] que se torna difícil instalar qualquer visão nova nesse setor. Um dos comentadores antipsicanalíticos de Carroll observa, com uma ponta de irritação: "Que ele era neurótico, isso nós já sabemos". Mas Géza Róheim,[13] por exemplo, vai um pouco além da neurose, ao analisar a "destrutividade oral" e as "fantasias cabalísticas" carrollianas, procurando sublinhar a importância do "trauma oral", e a similaridade entre a fantasia literária de Carroll e a linguagem esquizofrênica. Não relevando a conclusão e o diagnóstico, tem-se de reconhecer que essas fantasias são terreno fértil para especulações psicológicas, e não é preciso ser versado em psicanálise para se perceber que uma metáfora de devoração universal percorre os dois livros de Alice, desde os temores do rato em *Wonderland* até o banquete da Morsa e do Carpinteiro em *Looking-Glass*.

As abordagens psicanalíticas de Carroll não se limitam só ao campo freudiano estrito. Também os junguianos deram a sua versão de Alice. Assim, Judith Bloomingdale[14] torceu a poética imagem de Alice como a Beatriz de Carroll, "a musa de sua *Comédia*", sendo também a representação do arquétipo feminino, do elemento inconsciente, ou *anima*, no espírito humano. Na mesma trilha, interpretando os sonhos de Alice como "um mito cômico do insolúvel problema humano do significado em um mundo sem significação", outro junguiano, Donald Rackin,[15] desenvolve a sua análise. Todas essas leituras são centradas em torno de alguns símbolos, e se caracterizam como visões delimitadas do universo carrolliano, no plano da chamada psicologia profunda. Por interessantes que sejam, saem dos limites do texto, que se transforma em pretexto. Outras interpretações articulam—ao contrário destas que põem em relevo os elementos inconscientes do texto—uma visão simbólica social, como a interpretação alegórica de Shane Leslie. Numa zona intermédia entre esses dois polos, que podem ser caracterizados como ultrassubjetivo e ultraobjetivo, se localiza o ensaio famoso de William Empson,[16] um dos pioneiros na crítica carrolliana. Empson se coloca a meio caminho entre uma versão psicanalítica e uma versão parassociológica do conteúdo das Alices. O resultado é algo confuso, se bem que rico de sugestões quanto a alguns tópicos. Mas Empson se vale com frequência de elementos extratexto para confirmar sua visão da simbólica social carrolliana, e é sintomático como usa por sistema o nome Dodgson em lugar de Carroll, como se tentasse caracterizar o discurso da verdade por trás das fantasias. Estas ocultariam uma rebelião (até que ponto consciente, Empson não esclarece) contra as convenções, o que se explicita quando Alice puxa a toalha no fim de *Through the Looking-Glass*, gritando: "Não posso aguentar mais isso!". Mas, do mesmo modo que os mitólogos modernos dizem que a teoria do complexo de Édipo é mais uma versão do mito de Édipo, também o ensaio de Empson parece mais uma versão simbólica das aventuras de Alice do que uma visão crítica.

Outros intérpretes tentam construir uma visão de Carroll através do que se oferece na superfície dos textos, método que pode tender para um maior rigor, desde que se coloca menos o difícil problema da intencionalidade. Nessa linha, se colocam num plano mais geral os que interpretam Carroll no quadro do *nonsense*, no qual se destacam as aventuras de Alice. Essa é a perspectiva de Elizabeth Sewell,[17] que vê o *nonsense* como um sistema fechado, com as suas leis estritas, guardando relações com a lógica, a matemática e sobretudo com o jogo. Como todo sistema procede por exclusões, o *nonsense* exclui os processos afetivos (e daí, explica Sewell, as paródias poéticas de Carroll esterilizarem as metáforas pelo humor). O sistema do *nonsense* opera como um jogo, dentro de um espaço e tempo fechados (regras a que obedecem estritamente os livros de Alice) e, como num jogo, no espaço-tempo em que ele decorre, excluindo-se as relações afetivas subsistem apenas as relações dialéticas, "isto é, as de rivalidade e competição", esclarece a autora. Essas ideias gerais de Sewell não só explicariam por que o tema do jogo é fundamental nos livros de Alice — e no segundo há uma tentativa de construir a narrativa através das regras do jogo — como explicariam aquilo que a autora chama de "perturbadora crueldade" na relação entre os personagens. Extrapolar daí, como faz Sewell, para uma visão do sistema como manipulação totalitária (e por isso a experiência de Alice no mundo do *nonsense* é uma experiência de pesadelo) já é algo discutível no plano sociológico.

Se todo jogo é um sistema, todo sistema é um jogo? Mas a visão de *nonsense* como sistema é pelo menos fecunda como descrição de um processo. Como sistema, o material manipulado pelo *nonsense* são as palavras. Um jogo de equilíbrio entre significados diversos e por isso, informa Sewell noutro texto[18] sobre Carroll, seu terreno mais fértil são os trocadilhos e *portmanteaux* (e por causa desse equilíbrio, Humpty Dumpty, o mestre da lógica do *nonsense*, está sentado sobre um muro estreito). Sendo o *nonsense* um jogo, no mundo de Alice as emoções são rapidamente podadas e se transformam em humor, pois, conclui Sewell, "não há nada mais inexorável do que um jogo".

Numa outra visão do *nonsense*, Michael Holquist[19] o aproxima das relações altamente abstratas da matemática e da lógica. Por isso a diferença entre o *nonsense* e o absurdo. Este lida com valores humanos, enquanto o *nonsense* lida com valores puramente lógicos. O absurdo joga com a ordem e a desordem. O *nonsense* apenas com a ordem. O *nonsense* é um processo em si mesmo, sem qualquer outra finalidade. É pura superfície, conclui Holquist. É uma violência contra a semântica, "mas, desde que é sistemático, o sentido do *nonsense* pode ser apreendido". E nisso é que Holquist vê o maior valor do *nonsense* e de seu mestre Carroll, o de chamar a atenção para a linguagem, para o fato de que ela não é só algo que conhecemos, mas algo vivo, em processo, "algo a ser descoberto".

Foi Ludwig Wittgenstein, segundo George Pitcher,[20] quem distinguiu o *nonsense* de categorias como a tautologia e a contradição: nestas é que haveria a simples falta de sentido. A aproximação que Pitcher fez entre Wittgenstein e Carroll só parecerá surpreendente aos que não seguem a evolução recente da crítica carrolliana, a lidar com problemas de complexidade crescente. O processo de Pitcher é simples: o de traçar um paralelo entre certas passagens dos livros de Alice e formulações do filósofo austríaco. Exemplos: 1) No capítulo "A mad tea-party", Alice observa para si mesma que um comentário do Chapeleiro parecia sem sentido, mas era no entanto vasado em bom vernáculo; Wittgenstein observou que uma sentença de sintaxe perfeita poderia perfeitamente não fazer sentido. 2) Em duas passagens de Carroll se coloca a questão do que é a coisa e qual o nome que se lhe dá: na primeira, em *Wonderland*, o Gato de Cheshire diz que é louco porque agita a cauda quando está zangado e rosna quando está alegre, e Alice observa que ele não rosna, mas ronrona, respondendo o Gato: "Chame isso como quiser"; na segunda, o Cavaleiro Branco, em *Looking-Glass*, faz distinções entre o nome pelo qual a canção é chamada, o nome da canção e o que é a canção, desnorteando Alice; nas suas *Investigações filosóficas* Wittgenstein reflete sobre as relações entre o que uma coisa *é* e como ela *é chamada*, inquirindo a diversidade dos códigos linguísticos (por exemplo, nomes diferentes de uma mesma coisa em línguas diversas). 3) O famoso capítulo de Humpty Dumpty em *Looking-Glass* coloca o problema semântico do que se pretende significar com algo (um nome, por exemplo) e o que é realmente essa coisa; Wittgenstein aborda idêntico problema, ao inquirir sobre a relação entre o que uma pessoa diz e o que pretende significar (adotando, no caso, posição inversa à de Humpty Dumpty, para quem qualquer termo poderia significar o que ele quisesse). Como se vê por tais exemplos, Pitcher faz um paralelo quase literal entre as fantasias carrollianas e as reflexões de Wittgenstein, concluindo que ambos percorreram a mesma trilha com atitudes radicalmente inversas, pois o que era jogo para Carroll, para Wittgenstein era um campo de batalha: o sentido da linguagem.

Investigar o sentido da linguagem conduz por força ao paradoxo de que quanto mais se explica algo, mais obscuro parece o que é questionado. Assim acontece com a obra de Carroll, sobretudo com os livros de Alice. Algumas explicações do sentido desses livros levaram os intérpretes a conclusões perturbadoras. Como pode ser, se neles predominam o humor, o *wit*, o *nonsense*? Donald Rackin[21] adverte que o riso de modo algum é reservado a uma visão otimista do mundo, chamando atenção para a dicotomia, nos livros de Alice, entre o humor natural e orgânico, e o *wit* distanciado, artificial, que dissolve tudo em incongruências "inumanas". Outro comentador, Roger B. Henkle[22] fala em "perturbadores problemas humanos sob o disfarce de literatura ligeira", confirmando a "comédia de horror" a que se refere Donald Rackin. E alguns, como Edmund

Wilson,[23] da mesma maneira que Empson (a quem antecedeu no comentário a Carroll) preferem ver, nas aventuras de Alice, uma mente rebelde e cética, por trás do conformismo conservador do reverendo Dodgson. Uma tese controversa e implícita em muitos comentários sobre os livros de Alice: Carroll seria a inversão de Dodgson. Mas aí se entra na área do conflito psicológico e do comentário biográfico. Alguns comentadores mais recentes, sobretudo os franceses, preferem ficar ao nível da superfície e dos jogos carrollianos. O sentido de sua obra se revelaria, mais do que através da visão simbólica, pela percepção do jogo dialético permanente entre significante e significado, do jogo das palavras e do que elas significam, ou do questionamento das regras lógicas pelo *nonsense* e pelo paradoxo.

O SORRISO DO GATO DE CHESHIRE.

O paradoxo é o tema central do comentário mais ambicioso, do ponto de vista teórico, sobre a obra de Carroll, que é o do filósofo francês Gilles Deleuze.[24] Nesta introdução não se pretende (nem o autor é instrumentado para tanto) dar conta das consequências teóricas das reflexões de Deleuze, mas só um rápido resumo. Deleuze concede a Carroll o lugar privilegiado de ter feito a "primeira grande *mise en scène* dos paradoxos do sentido" na literatura, de ser o inventor da literatura de superfície, pois através do paradoxo se destitui a profundidade e as coisas se mostram na superfície. "O humor é esta arte da superfície, contra a velha ironia, arte das profundidades ou das alturas." Por isso Carroll, elegendo o paradoxo como sua arte básica, é o autor da superfície, como os estoicos foram os filósofos da superfície, também eles adeptos dos paradoxos. Ao contrário do senso comum que afirma um sentido único, o paradoxo afirma dois sentidos ao mesmo tempo. Daí que as inversões/reversões em Alice (reversões de tamanho, reversões na ordem do tempo, reversões de proposições, reversões de causa e efeito, etc.) surgem como um paradoxo da identidade infinita e conduzem à contestação da identidade pessoal de Alice, tema que atravessa as suas aventuras. Segundo Deleuze, a descida de Alice nas profundidades do poço dá lugar a movimentos laterais de expansão, a profundidade se faz superfície, os animais dão lugar a figuras de cartas, sem espessura. Não há aventuras de Alice, diz Deleuze, mas uma aventura: sua ascensão à superfície. (Por isso, crê o filósofo, duvidosamente, Carroll desistiu do título inicial da obra, *Alice's Adventures Under Ground*). A obra de Carroll joga permanentemente com a dualidade dos sentidos, com a proliferação indefinida dos mesmos, com a criação de jogos sem regras definidas e contraditórios em si, etc. O não sentido na filosofia do absurdo se opõe ao sentido. Em Carroll, ao contrário, o não sentido se opõe à ausência de sentido, produzindo um excesso de sentido. É o que Deleuze entende por *nonsense* (identificando-o, portanto, ao paradoxo, e se aproximando, sem citá-lo, das noções de Wittgenstein). Finalmente, num capítulo quase à parte, Deleuze opõe, comparativamente, Lewis Carroll e Antonin Artaud, superfície e profundidade da linguagem, polos inversos que se aproximam e se repelem. Artaud (que recriou, em linguagem paraesquizofrênica, o "Jabberwocky") se queixa de que foi "roubado" por Carroll (que o antecedeu em meio século) e ao mesmo tempo invectiva as linguagens de superfície, os "êxitos do intelecto", e sente na obra de Carroll "a fecalidade de um *snob* inglês". Segundo Deleuze, "Artaud considera Lewis Carroll um perverso, um pequeno perverso". Desse capítulo, e da afirmação de que "a superfície também tem seus monstros (o Jabberwocky, o Snark...)", conclui-se que a superfície também tem as suas profundidades, o que inscreve as próprias reflexões do filósofo Deleuze como um paradoxo sobre Lewis Carroll.

O paradoxo das estruturas lógicas ocupa outro comentador, Henri Laporte,[25] que se opõe a Deleuze, preferindo ver na obra de Carroll uma paródia das convenções operatórias. O tema de Laporte é a relação entre as estruturas lógicas e as representações do desejo, numa análise inconvencional do erotismo oculto (mas hoje evidente para todos) das aventuras de Alice. Assim, as transgressões dos princípios lógicos—quando, por exemplo, o Gato de Cheshire se transforma num "sorriso sem gato", o sorriso persistindo quando o corpo desaparece, isto é, a propriedade "sorriso" sem o conjunto "gato"—remeteriam a outra espécie de transgressão, a do princípio de realidade. No entanto, a subversão lógica do País das Maravilhas estaria também sujeita a leis estritas, que seriam igualmente repressivas. Laporte estabelece uma relação entre as convenções e a censura ao princípio do prazer: "Há em Alice (isto é, nos livros de) uma contestação permanente, embora disfarçada, do princípio de realidade, e ao mesmo tempo uma impossibilidade total de imaginar o princípio de prazer". A crítica carrolliana é silenciosa e alusiva (como o Gato de Cheshire). E a solução final da volta à realidade não é uma solução liberatória, a não ser—conclui o autor—para os que tomam a norma como sinônimo de felicidade (que seria, então, identificada à repressão).

A relação entre discurso lógico (visível) e discurso erótico (oculto) é também entrevista por Jean Gattégno[26] ao falar da não disjunção em *Sylvie and Bruno*: o esforço desse livro, que relaciona duas séries, uma realista e outra fantástica, consiste em dissolver a fronteira entre a linguagem do senso comum e do discurso social, e a outra linguagem, censurada, a da infância, do sonho e da loucura. Mas uma disjunção permanece explícita nesse livro (moralizante, em contraste com a neutralidade ética dos livros de Alice): a oposição radical entre amor e sexualidade. Por isso Uggug, o menino mau, se transforma, no final, em monstruoso porco-espinho (para Gattégno, a imagem do instinto, que deve ser reprimido).

Não deixa de ser curiosa a referência, explícita em Laporte e insinuada em Gattégno, e implícita em todos os discursos psicanalíticos sobre Carroll, da repressão ao princípio de prazer. Pois há poucos autores no mundo que tenham desenvolvido no mesmo grau a manipulação lúdica da linguagem e do pensamento. Em Carroll foi quase obsessivo o jogo com as palavras ou com o sentido. E no campo do pensamento para o qual revelou maior aptidão, o dos raciocínios lógicos, sua melhor contribuição (ou única) foi na construção de paradoxos, isto é, jogos lógico-semânticos (ou, na verdade, jogos poéticos, mais analógicos do que lógicos). Que essa obsessão oculte outra pelas regras, compete ao discurso psicanalítico esclarecer por quê. No plano da superfície basta constatar o prazer da desmontagem da lógica e da linguagem.

DESMONTAR O QUEBRA-CABEÇA.

"Era uma vez uma coincidência que saiu a passeio em companhia de um pequeno acidente. Enquanto passeavam, encontraram uma explicação, uma velha explicação, tão velha que já estava toda encurvada e encarquilhada, que mais se parecia com uma charada." A estorinha é contada em *Sylvie and Bruno*, mas se aplica também aos livros de Alice, que quanto mais explicados mais se parecem com uma charada. No prefácio à edição francesa da lógica de Carroll, Jean Gattégno[27] diz que Carroll inverteu a fórmula da moral da Duquesa em *Wonderland*: "Take care of the *sense* and the *sounds* will take care of themselves...". As palavras tornaram-se entidades concretas na sua obra e através dos jogos de palavras, dos homônimos, dos duplos sentidos, do jogo com expressões metafóricas, etc. Carroll, segundo Gattégno, empreendeu uma demolição do sentido corrente da linguagem. Nos livros de Alice esses jogos ocupam considerável percentagem.

As palavras até adquirem individualidade, como Ninguém, no diálogo entre Alice e o Rei Branco: para Alice ninguém está vindo pela estrada; para o Rei, Ninguém (isto é, alguém) está vindo pela estrada. Ao jogo com as palavras, Carroll superpõe o problema semântico da relação entre nomes e coisas (e por isso a questão da identidade é onipresente nas Alices). Gattégno observa agudamente que a diferença das narrativas fantásticas de Alice em relação aos contos de fadas tradicionais é que estes não colocam em questão a validade lógica do discurso. Ao contrário, os personagens de Alice questionam essa validade, em um sistema de raciocínio todo particular. (Por isso os diálogos têm uma importância tão grande na leitura desses livros, que não significam nada se reduzidos a seus enredos.)

Gattégno observa ainda que um dos jogos de Carroll nas Alices é o de mostrar a armadilha dos raciocínios lógicos. Assim, por exemplo, se a pomba (CAP. 5 de *Wonderland*) toma Alice por uma serpente é porque raciocina a partir da premissa de que comer ovos é atributo particular das serpentes: ora, se as meninas comem ovos, então elas são "uma espécie de serpentes". Idem quanto ao episódio em que o Rei de Copas (CAP. 8 de *Wonderland*) quer mandar decapitar o Gato de Cheshire e o carrasco se recusa porque não pode decapitar uma cabeça sem corpo, enquanto o Rei acha que desde que haja cabeça pode haver decapitação. O problema lógico se reduz ao problema semântico: o sentido do termo decapitar. Aos problemas lógicos (de raciocínio), que são também problemas semânticos (de significados), que percorrem os dois textos das Alices e outras ficções do autor, Carroll não propôs soluções, mas paradoxos. A sua função era de questionar poeticamente (como, aliás, os antigos). Uma das amiguinhas de Carroll disse, muito depois da morte dele, que o reverendo Dodgson não falava nunca dos livros de Alice, mas tinha três obsessões: sua chaleira, sua lógica, seus talentos de fotógrafo (Carroll foi um dos dois maiores fotógrafos

da época vitoriana). No fim da vida, dedicou-se quase exclusivamente aos problemas lógicos, tendo escrito dois *puzzles* célebres nesse domínio, publicados na revista *Mind*: "What the Tortoise Said to Achilles" e "A Logical Paradox". Parece haver unanimidade, entre os comentadores da lógica carrolliana, que é nesses paradoxos que reside a contribuição principal de Carroll. Se é verdade que, como disse Marshall McLuhan,[28] Carroll foi antecipador de uma visão de espaço/tempo não uniformes e contínuos, numa pré-visão einsteiniana (Edmund Wilson já citara o "toque de Einstein" na corrida de Alice e da Rainha Vermelha, que correm o máximo para ficar no mesmo lugar), parece que, segundo os comentários de Ernest Coumet,[29] a visão de Carroll na *Symbolic Logic* é menos avançada, por não ter se libertado ainda de certos esquemas. Em compensação, Carroll, segundo Coumet, foi menos um profissional da dedução do que um desmontador/remontador de mecanismos verbais e nesse sentido ele estava, e muito, avançado sobre o seu tempo: "Lewis Carroll, em certo sentido, veio muito tarde (...), mas por outro lado era muito cedo para que a semântica pudesse lhe permitir exercer seu espírito sutil". É tal sutileza que transparece nos seus paradoxos. Nesse curioso diálogo que é "What the Tortoise Said to Achilles", dá-se o jogo de um raciocínio lógico sem conclusão, outra espécie de proliferação infinita, como o problema da nomeação levantado pelo Cavaleiro Branco em *Looking-Glass*. Aquiles tenta convencer a tartaruga da conclusão lógica de um silogismo, mas esta insiste que a sequência "se duas premissas, então a conclusão" pode ser tomada como uma terceira premissa. A tartaruga aceita sempre as premissas, nunca a conclusão, exigindo sempre uma nova proposição hipotética, e assim a cadeia de proposições tende ao infinito. Segundo R. B. Braithwaite,[30] o paradoxo mostra a necessidade, na inferência, "de um ato de violência para cortar a cadeia de proposições hipotéticas". Carroll, segundo Braithwaite, foi mais longe do que supôs (ao colocar em xeque as noções de implicação e inferência). "Sua mente estava permeada por uma admirável lógica, que ele era incapaz de exprimir em crítica explícita. Daí o fato da *Symbolic Logic* ser tão superficial e seus *puzzles* casuais tão profundos." Para Coumet, distinguindo entre leis e regras (as leis são suscetíveis de verdade ou falsidade, as regras são enunciados normativos), a tartaruga finge ignorar as regras, a metalinguagem do sistema formal, ironizando este numa formalização infinita, numa meta-metalinguagem.

Não cabendo aqui uma discussão do conteúdo lógico dos paradoxos carrollianos, o que importa é traduzir o seu sentido no plano mais global da sua criação. Os comentários já citados são suficientes para concluir que uma leitura apenas psicológica ou alegórica seria insuficiente para dar conta do sentido da obra de Carroll. Seriam leituras redutoras, e igualmente uma redução seria uma leitura apenas no plano lógico. O paradoxo, entretanto, assumindo formas diversas na obra de Carroll, seja através dos seus *puzzles*, seja nas obras fantasistas dos livros de Alice, do *Snark* ou de certos capítulos de *Sylvie and Bruno* (aqueles em que surgem o Professor ou Mein Herr), surge como uma "velha explicação", uma explicação-charada, uma variante-chave do enigma carrolliano.

O comentário de Coumet de que Carroll foi um "desmontador/remontador de mecanismos verbais" é também uma pista-chave nesse sentido. Não só Carroll desmontou mecanismos verbais, mas ainda mecanismos de pensamento. Assim como o jogo não o interessava como tal, mas só o seu mecanismo (nas Alices as ações são tão arbitrárias quanto as regras), também a lógica o parece ter interessado mais como mecanismo, nos seus *puzzles*. Por toda a obra de Carroll e em muitos escritos casuais, como se revela em *The Magic of Lewis Carroll*,[31] editado por John Fisher, é permanente a obsessão com as ideias de jogo, enigma e paradoxo. Construção de labirintos, indagação sobre fusos horários e o começo do dia, paradoxo sobre relógios, indagação sobre sistemas numéricos, idealização de novos jogos, acrósticos e anagramas poéticos, *puzzles* matemáticos ou lógicos, cartas especulares ou em sentido inverso, paradoxos geométricos, sistemas de memorização, metamorfoses de palavras (*doublets*), isomorfismos (poema-rabo em *Wonderland*), ficções-charadas (*A Tangled Tale*), jogos lógico-visuais (*The Game of Logic*), truques mágico-metafísicos ("A bolsa de Fortunatus", em *Sylvie and Bruno*), sistemas postais, reversões de tempo e espaço (nas Alices e em *Sylvie and Bruno*), jogos de palavras e sentidos, etc. (a enumeração seria interminável), tudo isso faz da obra de Carroll uma loja de *bricolages*, *oddities* e curiosidades sem fim. Uma brincadeira de quebra-cabeça que interessou a muitos criadores (inclusive o cubano Cabrera-Infante), a pensadores como Bertrand Russell e Géza Róheim, entre outros, e uma infinidade de críticos e comentadores.

Numa passagem célebre em *Looking-Glass*, o homem-ovo Humpty Dumpty exige que os nomes próprios signifiquem algo, e dá-se como exemplo de um nome que significa a sua própria forma. Esse isomorfismo nome/forma é básico para a compreensão dos livros de Alice, em que o sentido se instaura através da própria linguagem, dos seus ícones verbais ou visuais. O que leva a supor que a leitura semiótica dos livros de Alice seria uma das trilhas mais ricas para compreendê-los, através da desocultação dos signos. Décio Pignatari[32] faz, a esse propósito, breve alusão ao isomorfismo olho/ouvido do conto/rabo (*tale/tail*) do rato em *Wonderland*, assinalando "uma dupla paronomásia, ou seja, uma iconização dupla em dois planos simultâneos", ao nível verbal (*tale/tail*), e ao nível icônico verbal e não verbal (Alice ouvindo a estória que assume a forma de uma cauda). Também Warren Shibles,[33] num comentário filosófico de *Wonderland*, alude a esse *tale/tail*, lembrando que Wittgenstein desenvolveu a ideia de que a estrutura da linguagem é a estrutura do mundo. Carroll, criador de *oddities*, foi autor de dois dos mais expressivos ícones/esfinges de que se tem conhecimento: esse *tale/tail* e o sorriso sem corpo do Gato de Cheshire, pairando no espaço.

Deleuze resumiu a obra de Carroll como um caos/cosmos, que teria tudo para fascinar as mentes modernas. Com o seu paradoxo da tartaruga, versão esfíngica do segundo paradoxo de Zenão de Eleia, Carroll estacou diante do abismo lógico-metafísico: assim como, no paradoxo pré-socrático, Aquiles não alcança a tartaruga, pois ela está sempre um metro, um decímetro, um milímetro, um decímetro de milímetro, etc., à sua frente, no paradoxo de Carroll Aquiles jamais chegará à conclusão do silogismo, diante da exigência que a tartaruga faz de interpor novas proposições hipotéticas. É o paradoxo da regressão ao infinito (comentado por J. L. Borges em *Outras inquisições*). A cadeia de proposições, diz Braithwaite, só poderia ser cortada por um ato de violência: eis a sugestão do paradoxo carrolliano. Não seria o caso de lembrar que a sequência de proposições arbitrárias dos livros de Alice acabam, ambas, num lance compulsivo, num ato de violência? Ou que a visão do Snark traz o desaparecimento do padeiro? Ou que Uggug (lembre-se a disjunção amor-sexo, assinalada por Gattégno em *Sylvie and Bruno*) transforma-se em monstruoso porco-espinho, uma imagem negativa do instinto liberado?

Nas aventuras de Alice, na caça ao Snark ou na série fantástica das aventuras de Sílvia e Bruno, Carroll pisou no terreno vago entre o sentido e o não sentido, que é também um vazio lógico. Querendo descobrir soluções para problemas lógicos, armando jogos e quebra-cabeças, vendo a própria ação política (na qual era conservador) como um jogo de cartas marcadas, Carroll não propôs soluções, mas paradoxos, esfinges. Esse desmontador/remontador tinha, porém, ímpetos (no plano da fantasia) de romper o quebra-cabeça.

Ou, para fazer um jogo carrolliano, ao quebra-cabeça cortem-lhe a cabeça. O terrorismo estava encoberto pelo *nonsense*, transformando o sentido em não sentido. Há ligação entre o vazio lógico e outros vazios. E cá estamos nós outra vez nas profundidades, dentro do poço. Bem dentro, *well in*, como disse o Leirão, ao contar a estória do poço.

ABRIL DE 1977.

REFERÊNCIAS BIBLIOGRÁFICAS.

1. Parisot, Henri. *Lewis Carroll*. Paris: Pierre Seghers Editeur, 1952. (Col. Poètes d'Aujourd' Hui).
2. Lennon, Florence Becker. *The Life of Lewis Carroll (Victoria through the Looking-Glass)*. Nova York: Dover Publications Inc., 1972.
3. Gardner, Martin. *The Annotated Alice*. Londres: Penguin Books, 1975.
4. Gardner, Martin. Op. cit.
5. Leslie, Shane. "Lewis Carroll and the Oxford Movement" (publ. orig. em *London Mercury*, 1933), in *Aspects of Alice*. Organizado por Robert Phillips. Londres: Penguin Books, 1974.
6. Taylor, A. L. "Chess and Theology in the Alice Books" (de *The White Knight*, 1952) in *Alice in Wonderland*. Norton Critical Edition. Organizado por Donald J. Gray. Nova York: W. W. Norton & Company Inc., 1971.
7. Greenacre, Phyllis. "Reconstruction and Interpretation of the Development of Charles L. Dodgson and Lewis Carroll" (de *Swift and Carroll*, 1955), in *Alice in Wonderland*. Norton Critical Edition, op. cit.
8. Gattégno, Jean. "*Sylvie et Bruno* ou l'envers et l'endroit", in *Sylvie et Bruno*, tradução de Fanny Deleuze. Paris: Editions du Seuil, 1972.
9. Gardner, Martin. "Speak Roughly", in *Lewis Carroll Observed*. Organizado por Edward Guiliano. Nova York: Clarkson N. Potter Inc., 1976.
10. Macdonald, Dwight. *Parodies*. Nova York: Random House, 1960.
11. Carroll, Lewis. *Logique sans peine*. Tradução e apresentação de Jean Gattégno e Ernest Coumet. Ilustrações de Max Ernst. Paris: Hermann, 1968.
12. Grotjahn, Martin. "About the Symbolization of *Alice's Adventures in the Wonderland*", in *Aspects of Alice*, op. cit.
13. Róheim; Géza. "From Further Insights", in *Aspects of Alice*, op. cit.
14. Bloomingdale, Judith. "Alice as *Anima*", in *Aspects of Alice*, op. cit.
15. Rackin, Donald. "Alice's Journey to the End of the Night", in *Aspects of Alice*, op. cit.
16. Empson, William. "The Child as Swain" (publ. orig. em *Some Versions of Pastoral*, Nova York, 1935), in *Alice in Wonderland*. Norton Critical Edition, op. cit. Publicado no Brasil em *Teoria da literatura em suas fontes*, organizado por Luiz Costa Lima. Rio de Janeiro: Livraria Francisco Alves Editora, 1975.
17. Sewell, Elizabeth. "The Nonsense System in Lewis Carroll's Work and in Today's World", in *Lewis Carroll Observed*, op. cit.

18. Sewell, Elizabeth. "The Balance of Brillig" (de *The Field of Nonsense*, 1952), in *Alice in Wonderland*. Norton Critical Edition, op. cit.
19. Holquist, Michael. "What is a Boojum? Nonsense and Modernism" (publ. orig. em *Yale French Studies*, 1969), in *Alice in Wonderland*. Norton Critical Edition, op. cit.
20. Pitcher, George. "Wittgenstein, Nonsense and Lewis Carroll" (publ. orig. em *The Massachusetts Review*, 1965), in *Alice in Wonderland*. Norton Critical Edition, op. cit.
21. Rackin, Donald. "Laughing and Grief: What's so Funny About Alice in Wonderland?", in *Lewis Carroll Observed*, op. cit.
22. Henkle, Roger B. "High Art and Low Amusements", in *Lewis Carroll Observed*, op. cit.
23. Wilson, Edmund. "C.L. Dodgson: The Poet Logician", in *Aspects of Alice*, op. cit.
24. Deleuze, Gilles. *Logique du sens*. Paris: Editions du Minuit, 1971.
25. Laporte, Henri. *Alice au pays des merveilles. Structures logiques et representations du désir*. Paris: Repères/Mame, 1973.
26. Gattégno, Jean. "*Sylvie et Bruno* ou l'envers et l'endroit", in *Sylvie et Bruno*, op. cit.
27. Gattégno, Jean. "La logique et les mots dans l'oeuvre de Lewis Carroll", in *Logique sans peine*, op. cit.
28. McLuhan, Marshall. *Os meios de comunicação*. Trad. de Décio Pignatari. São Paulo: Cultrix, 1964.
29. Coumet, Ernest. "Lewis Carroll logicien", in *Logique sans peine*, op. cit.
30. Braithwaite, R.B. "Lewis Carroll as Logician" (publ. orig. em *Mathematical Gazette*, 1932), in *Alice in Wonderland*. Norton Critical Edition, op. cit.
31. *The Magic of Lewis Carroll*. Organizado por John Fisher. Londres: Thomas Nelson and Sons Ltd, 1973.
32. Pignatari, Décio. *Semiótica e literatura*. São Paulo: Perspectiva, 1974.
33. Shibles, Warren. *Wittgenstein, linguagem e filosofia*. São Paulo: Cultrix, 1974.

NOTA.

Bibliografias de/sobre Lewis Carroll são encontradas nas edições *The Works of Lewis Carroll*, organizado por Roger Lancelyn Green, da Spring Books, e *Alice in Wonderland*, Norton Critical Edition; nas antologias de textos críticos *Aspects of Alice* e *Lewis Carroll Observed*; na biografia *The Life of Lewis Carroll*, de F. Becker Lennon, em *The Annotated Alice*, de M. Gardner e em *The Magic of Lewis Carroll*. Há farta iconografia em *Lewis Carroll Observed*; *Lewis Carroll and His World*, de John Pudney (Londres, 1976) e *The Illustrators of Alice* (Londres, 1972). Sobre Carroll fotógrafo, é clássico *Lewis Carroll Photographer*, de Helmut Gernsheim, Londres, 1950.

AGRADECIMENTO E NOTA SOBRE A TRADUÇÃO.

Dois agradecimentos merecem registro especial. Primeiro, a José Laurenio de Melo, poeta e tradutor de notáveis méritos, pela paciência com que leu os originais desta tradução, sugerindo valiosas alternativas no texto, funcionando muitas vezes como cotradutor. Quero citar a contribuição dele sobretudo no capítulo "Insetos do espelho", sugerindo os nomes dos insetos. Vali-me, também, da lição das diversas passagens de Carroll citadas por W. Empson no ensaio "A criança como zagal", traduzido por Laurenio. É a melhor lição da prosa de Carroll em português, nessa tradução perfeita que figura em *Teoria da literatura em suas fontes*, organizado por Luiz Costa Lima.

Segundo, ao poeta Augusto de Campos, por ceder para esta tradução as suas tão criativas versões do "Jabberwocky" ("Jaguadarte"), do "Recado aos peixes" e da canção da sopa cantada pela Falsa Tartaruga, além de me remeter alguns *doublets* por ele criados segundo a técnica carrolliana. Augusto é também autor de belo texto sobre Carroll e Edward Lear publicado no *Suplemento Literário Minas Gerais*, sob o título "Homenagem ao *nonsense*", uma das raras (ou única?) contribuições críticas brasileiras ao tema do *nonsense*.

Finalmente, agradeço aos livros de/sobre Carroll dados ou emprestados por Antonio Bulhões, Dirce Riedel, Luiz Costa Lima e Montez Magno, aos que quiseram ver editada esta tradução e aos meus amigos da Editora Fontana. Agradeço a todos a amizade e as gentilezas.

Esta tradução está longe de ser perfeita. O projeto original do livro incluía ainda *The Hunting of the Snark* e seleções de *Sylvie and Bruno*, mas tais foram as dificuldades encontradas nos textos das *Alices*, que encurtei o projeto, pelo menos por enquanto. Não me dou por satisfeito com várias soluções, que espero, em edições futuras, melhorar. Creio que, pelo menos, esta é a primeira versão de Carroll para adultos no Brasil, enfrentando os problemas do texto e dos poemas, em geral contornados em numerosas adaptações, por motivos compreensíveis. E o resto a tradução dirá por si mesma.

SEBASTIÃO UCHOA LEITE.

COLEÇÃO FÁBULA. Fábula: do verbo latino *fari*, "falar", como a sugerir que a fabulação é extensão natural da fala e, assim, tão elementar, diversa e escapadiça quanto esta; donde também falatório, rumor, diz-que-diz, mas também enredo, trama completa do que se tem para contar (*acta est fabula*, diziam mais uma vez os latinos, para pôr fim a uma encenação teatral); "narração inventada e composta de sucessos que nem são verdadeiros, nem verossímeis, mas com curiosa novidade admiráveis", define o padre Bluteau em seu *Vocabulário português e latino*; história para a infância, fora da medida da verdade, mas também história de deuses, heróis, gigantes, grei desmedida por definição; história sobre animais, para boi dormir, mas mesmo então todo cuidado é pouco, pois há sempre um lobo escondido (*lupus in fabula*) e, na verdade, "é de ti que trata a fábula", como adverte Horácio; patranha, prodígio, patrimônio; conto de intenção moral, mentira deslavada ou quem sabe apenas "mentirada gentil do que me falta", suspira Mário de Andrade em "Louvação da tarde"; início, como quer Valéry ao dizer, em diapasão bíblico, que "no início era a fábula"; ou destino, como quer Cortázar ao insinuar, no *Jogo da amarelinha*, que "tudo é escritura, quer dizer, fábula"; fábula dos poetas, das crianças, dos antigos, mas também dos filósofos, como sabe o Descartes do *Discurso do método* ("uma fábula") ou o Descartes do retrato que lhe pinta J. B. Weenix em 1647, de perfil, segurando um calhamaço onde se entrelê um espantoso *Mundus est fabula*; ficção, não-ficção e assim infinitamente; prosa, poesia, pensamento. SAMUEL TITAN JR., RAUL LOUREIRO.

SOBRE O AUTOR. Charles Lutwidge Dodgson, mais conhecido sob o pseudônimo de Lewis Carroll, nasceu em Daresbury, Inglaterra, em 27 de janeiro de 1832. Filho de um pastor anglicano, graduou-se em matemática em Oxford, em 1854, e permaneceu ligado a seu *college*, Christ Church, por toda a vida, lecionando e publicando nas áreas de geometria, álgebra e lógica matemática. Terminados os estudos, começou a publicar contos e poemas, de teor sobretudo humorístico (o famoso pseudônimo apareceu pela primeira vez ao pé de um poema romântico publicado em *The Train*, em 1856). Ao mesmo tempo, dava seus primeiros passos como fotógrafo diletante, chegando a produzir cerca de três mil imagens, sobretudo retratos de amigos e de crianças. Nesse mesmo ano de 1856, Carroll passou a frequentar a família de Henry Liddell, novo reitor de Christ Church, tornando-se próximo de sua esposa e de suas três filhas, Lorina, Edith e Alice. Durante um passeio de barco com as três crianças, em 4 de julho de 1862, concebeu as linhas gerais do que viria a ser a trama de *Aventuras de Alice no País das Maravilhas*. Carroll acabou por redigir uma primeira versão da história, que ofereceu à caçula dos Liddell em novembro de 1864 na forma de um caderno manuscrito e ilustrado pelo próprio Carroll, sob o título de *Alice's Adventures Under Ground*. Nesse meio-tempo, o manuscrito chegara às mãos da editora Macmillan, que imediatamente aceitou publicá-lo. A primeira edição saiu em 1865, ilustrada por John Tenniel e com enorme sucesso comercial. O segundo volume protagonizado pela heroína, *Através do espelho e o que Alice encontrou lá*, saiu em 1871, sempre com desenhos de Tenniel. A veia fantástica ditou-lhe ainda um poema longo, *The Hunting of the Snark* (1876), marcado pela invenção verbal e pelo *nonsense*. Finalmente, três décadas após a primeira *Alice*, Carroll publicaria *Sylvie and Bruno* (1895), cuja trama alterna entre a Inglaterra interiorana e diversos reinos feéricos. Lewis Carroll morreu em 14 de janeiro de 1898, na casa de suas irmãs em Guildford, vitimado por uma pneumonia.

SOBRE O ILUSTRADOR. John Tenniel nasceu em Londres, em 28 de fevereiro de 1820. Largamente autodidata, frequentou a Royal Academy of Arts, sem contudo concluir os estudos. Em meados da década de 1840 começou a ganhar fama como desenhista e ilustrador, e em 1851 publicou seu primeiro *cartoon* nas páginas de *Punch*, a principal revista de sátira política da época, fundada dez anos antes—a própria palavra *cartoon* ganhou seu sentido moderno nas páginas do semanário. Ao longo das cinco décadas seguintes, Tenniel publicou mais de dois mil desenhos na revista, convertendo-se numa celebridade nacional e recebendo o título de *sir* das mãos da rainha Victoria. Em 1864, foi convidado por Charles Dodgson/Lewis Carroll, leitor de *Punch*, a ilustrar *Aventuras de Alice no País das Maravilhas*. A primeira edição do romance, publicada no ano seguinte, contava com 42 desenhos de Tenniel, aos quais se somariam os 50 que realizou em 1871 para *Através do espelho*. John Tenniel aposentou-se em 1901 e faleceu em Londres, em 25 de fevereiro de 1914.

SOBRE O TRADUTOR. Sebastião Uchoa Leite nasceu em Timbaúba, Pernambuco, em 31 de janeiro de 1935. Estudou Direito e Filosofia em Recife, onde começou a tomar parte na vida literária: seu primeiro livro de poemas, *Dez sonetos sem matéria*, foi publicado por O Gráfico Amador, de Aloysio Magalhães, em 1960. Mudou-se em 1965 para o Rio de Janeiro, onde trabalhou em diversas lides editoriais — entre as quais a revista de poesia *José*, que circulou entre 1976 e 1978. Reuniu sua poesia em livros como *Signos/Gnosis* (1970), *Antilogia* (1979), *Obra em dobras* (1988), *A uma incógnita* (1991), *A ficção vida* (1993), *A espreita* (2000) e *A regra secreta* (2002). Ensaísta de interesses muito variados — da poesia aos quadrinhos, do cinema à filosofia —, publicou quatro volumes de textos críticos: *Participação da palavra poética* (1966), *Crítica clandestina* (1986), *Jogos e enganos* (1995) e *Crítica de ouvido* (2003). Tradutor de autores como Stendhal, Octavio Paz, Julio Cortázar e Christian Morgenstern, assinou dois monumentos da tradução literária no Brasil: *Aventuras de Alice no País das Maravilhas & Através do espelho e o que Alice encontrou lá* (Fontana/Summus, 1977) e a *Poesia* de François Villon (Guanabara, 1988). Sebastião Uchoa Leite faleceu no Rio de Janeiro em 27 de novembro de 2003.

SOBRE ESTE LIVRO. *Aventuras de Alice no País das Maravilhas*, São Paulo, Editora 34, 2015 TÍTULO ORIGINAL *Alice's Adventures in Wonderland*, 1865 TRADUÇÃO Sebastião Uchoa Leite ©Guacira Waldeck, 2015 TRADUÇÃO DE "SOPA DE TARTARUGA" ©Augusto de Campos, 2015 EDIÇÃO Cristina Fino, Samuel Titan Jr. PROJETO GRÁFICO Raul Loureiro PREPARAÇÃO Cristina Fino REVISÃO Iara Fino Silva, Sandra Brazil, Carolina Serra Azul TRATAMENTO DE IMAGEM Jorge Bastos PRODUÇÃO GRÁFICA Acássia Correia IMAGEM DE CAPA detalhe de John Tenniel, "The Angry Queen/The Queen of Hearts", publicada originalmente em *The Nursery Alice* (Londres: Macmillan, 1890) ©British Library Board/Bridgeman Images ESTA EDIÇÃO ©Editora 34 Ltda., São Paulo; 1ª edição, 2015 (2ª reimpressão, 2020). A grafia foi atualizada segundo o Acordo Ortográfico da Língua Portuguesa de 1990, que entrou em vigor no Brasil em 2009.

Este livro recebeu o selo de Altamente Recomendável da FNLIJ — Fundação Nacional do Livro Infantil e Juvenil.

CIP — Brasil. Catalogação-na-Fonte
(Sindicato Nacional dos Editores de Livros, RJ, Brasil)

Carroll, Lewis (Charles Lutwidge Dogson), 1832-1898
Aventuras de Alice no País das Maravilhas/
Lewis Carroll; ilustrações de John Tenniel;
tradução e posfácio de Sebastião Uchoa Leite —
São Paulo: Editora 34, 2015 (1ª edição),
2017 (1ª reimpressão), 2020 (2ª reimpressão).
184 p. (Coleção Fábula)

Tradução de: *Alice's Adventures in Wonderland*

ISBN 978-85-7326-595-8

1. Narrativa inglesa. I. Tenniel, John (1820-1914).
II. Leite, Sebastião Uchoa (1935-2003). III. Título.
IV. Série.

CDD – 823

TIPOLOGIA Sabon PAPEL Pólen Soft 80g/m² IMPRESSÃO Ipsis Gráfica e Editora,
em agosto de 2020 TIRAGEM 4000

EDITORA 34.

Editora 34 Ltda. Rua Hungria, 592
Jardim Europa CEP 01455-000
São Paulo — SP Brasil
Tel/Fax (11) 3811-6777
www.editora34.com.br